D1267029

ΝΙΚΟΣ ΠΕΤΡΟΥ

ΚΑΘΡΕΦΤΙΣΜΑΤΑ ΣΤΗΝ

ΚΕΡΚΙΝΗ

REFLECTIONS ON KERKINI

ΚΟΑΝ
ΧΟΡΗΓΟΣ Asea Brown Boveri A.E.
ΑΘΗΝΑ 1995

© ΕΚΔΟΣΕΙΣ ΚΟΑΝ
Δελφών 5, 106 80 Αθήνα
Τηλ.: 3628265, Fax: 3628307

Σειρά: "Η Άγνωστη Ελληνική Φύση"
2. Νίκος Πέτρου: "Καθρεφτίσματα στην Κερκίνη"
Υπεύθυνος σειράς: Άγγελος Μοιράγιας

Πρώτη έκδοση, Αθήνα 1995

Μετάφραση: Μαρία Πέτρου
Επιμέλεια εξωφύλλου: Κώστας Τσομπανίδης, Νίκος Πέτρου
Επιμέλεια: OKAY Desing Studio - Κώστας Τσομπανίδης
Διαχωρισμοί: SELECTOR ΕΠΕ
Εκτύπωση: ΕΠΙΚΟΙΝΩΝΙΑ ΕΠΕ

© KOAN Publishing House
5, Delfon str., 106 80 Athens
Tel.: 3628265, Fax: 3628307

Series: "The Greek Nature we don' t know"
2. Nikos Petrou: "Reflections on Kerkini"
In charge of the series: Angelos Miragias

First published, Athens 1995

Translation: Maria Petrou
Jacket design: Kostas Tsompanidis, Nikos Petrou
Design: OKAY Desing Studio - Kostas Tsompanidis
Color separations: SELECTOR LTD
Printing: EPIKINONIA LTD

ISBN 960-7586-18-2

Περιεχόμενα

Contents

Αφιερωμένο στη Λουλού

ΕΥΧΑΡΙΣΤΙΕΣ

Τα τελευταία τέσσερα χρόνια έχω αφιερώσει ένα σημαντικό μέρος του χρόνου μου στην Κερκίνη και οι επισκέψεις μου στην περιοχή έφτασαν τις δέκα ή δώδεκα κάθε χρονιά. Στο διάστημα αυτό είχα την τύχη να αποκτήσω καινούργιους φίλους που με βοήθησαν στην προσπάθειά μου.Θέλω να τους ευχαριστίσω όλους και ιδιαίτερα τον Θόδωρο Ναζηρίδη που με κρατούσε ενήμερο για το τι συνέβαινε στη λίμνη και έκανε πολλές χρήσιμες υποδείξεις, τον Παναγιώτη Χατζηγιαννίδη, παθιασμένο υπερασπιστή της λίμνης και των πουλιών, που με μετέφερε με τη βάρκα του στην αποικία, κωπηλατώντας ακούραστα ή περιμένοντας ώρες ολόκληρες μαζί μου, κάτω από τον καυτό ήλιο, και τον Τριαντάφυλλο Γιαντζίδη, ιδιοκτήτη βουβαλιών, που μου έδωσε πολλές πληροφορίες για την άγρια ζωή της λίμνης και την περιοχή.

Τα δημοσιευμένα ορνιθολογικά στοιχεία που αφορούν την Κερκίνη μετά το 1986 είναι ελάχιστα. Το μεγαλύτερο μέρος του υλικού που παρατίθεται σ' αυτό το βιβλίο παραχωρήθηκε από τον Θόδωρο Ναζηρίδη από το τεράστιο αδημοσίευτο αρχείο του και από εργασίες που έχουν υποβληθεί για δημοσίευση. Τον ευχαριστώ θερμά γιά όλη του τη βοήθεια. Ο Γιώργος Χανδρινός και ο Φίλιος Ακριώτης ευγενικά επέτρεψαν να χρησιμοποιήσω κάποια στοιχεία από το βιβλίο τους "The Birds of Greece" που θα κυκλοφορήσει σύντομα και τους ευχαριστώ πολύ.

Ο Μάκης Αράπης, ο Γιώργος Χανδρινός, ο Charles Irwin, ο Θόδωρος Ναζηρίδης και η Ράνια Σπυροπούλου διάβασαν και σχολίασαν το κείμενο. Οι υποδείξεις τους ήταν πολύτιμες˙ τυχόν λάθη που απομένουν οφείλονται μόνο σε μένα. Θέλω ακόμα να ευχαριστήσω τον Διονύση Βασιλειάδη, τον Βασίλη Γεραμά, τον Στάθη Γιαννακόπουλο, την Αθηνά Δαβάκη, τον Τάσο Λεγάκι, τον Λάζαρο Παμπέρη και τον Ηλία Υδραίο για τη βοήθειά τους.

Ένα μεγάλο ευχαριστώ στην αδελφή μου, Μαρία Πέτρου, που με συνόδευσε στα περισσότερα ταξίδια μου και υπέφερε -όχι όμως αδιαμαρτύρητα - σαν βοηθός μου. Οι γνώσεις της για τα φυτά και τα λουλούδια αποδείχτηκαν ανεκτίμητες, αλλά ακόμα περισσότερο η ικανότητά της να εντοπίζει τα σπανιότερα είδη στα δυσκολότερα σημεία. Η Μαρία μετέφρασε επίσης το κείμενο στα Ελληνικά.

Θέλω ακόμα να εκφράσω την εκτίμησή μου στον Κωσταντίνο Κοσμαδάκη και την Βαρβάρα Γάγγα της Asea Brown Boveri για την ευγενική χορηγία τους.

Τέλος πρέπει να ευχαριστήσω ιδιαίτερα τον Νίκο Δήμου και την Μίρκα Γόντικα για τα προλογικά τους σημειώματα, καθώς και όλους όσους βοήθησαν στην παραγωγή του βιβλίου: τον εκδότη μου Άγγελο Μοιράγια, τον Κώστα Τσομπανίδη, τον Νικόδημο Φρατζή και τους ανθρώπους του "Σελέκτορα", τον Σάββα Κέφαλο και τους ανθρώπους της "Επικοινωνίας".

For Loulou

ACKNOWLEDGEMENTS

Over the last four years I have spent a considerable amount of time in the vicinity of Kerkini, often visiting the area ten or twelve times a year. I have also been fortunate enough to make many friends that contributed to the making of this book. I would like to thank them and especially Theodoros Nazirides, who offered on the spot suggestions and kept me informed of what was happening at the lake; Panagiotis Hadjigianidis, passionate champion of the lake and its birds, who supplied my means of access to the colony, tirelessly rowing his boat or waiting long hours under the hot sun; Triantafillos Giadjidis, owner of buffaloes, who provided information and pointers about the wild animals of the lake.

Very little ornithological data has been published about Kerkini after 1986. Most of the material presented in this book has been provided by Theodoros Nazirides from his vast hoard of unpublished data, including papers that are in press; I am grateful for all his help. Giorgos Handrinos and Filios Akriotis also kindly permitted me to use some information from their soon to be published book "The Birds of Greece" and I thank them very much.

Makis Arapis, Giorgos Handrinos, Charles Irwin, Theodoros Nazirides and Rania Spiropoulou reviewed or commented on sections of the text. Their generous help was invaluable and much appreciated; any mistakes that remain are mine alone. In addition the following individuals provided assistance, and I thank them all: Dionisis Vasiliadis, Athina Davaki, Vasilis Geramas, Stathis Gianakopoulos, Tasos Legakis, Lazaros Pamperis, Elias Hydraios.

Special thanks are due to my sister, Maria Petrou, who accompanied me on most of the trips as my long suffering - but often complaining - assistant. Her knowledge of flowers and plants proved invaluable, but more so her ability to spot the rarest of them in the most difficult locations. She also translated the text from English into Greek.

I would also like to express my appreciation to Konstantinos Kosmadakis and Varvara Gangas of Asea Brown Boveri for their generous sponsorship.

Last, but by no means least, I must sincerely thank Nikos Dimou and Mirka Gontika for their introductory notes as well as all those involved in the production of the book; my publisher Angelos Miragias, Kostas Tsombanidis, Nikodimos Fratzis and his people at "Selector", Savas Kefalos and the people at "Epikinonia".

Αυτό το βιβλίο δεν είναι μόνο ένας τόμος με κείμενα και φωτογραφίες. Είναι μια επίκληση, ένας εξορκισμός.

Όπως οι πρωτόγονοι στις σπηλιές του Lascaux και της Altamira, ο Πέτρου απεικονίζει ό,τι θέλει να υποτάξει. Αλλά στην περίπτωσή του, έλεγχος επάνω στην φύση δεν σημαίνει μετάλλαξη ή εκμετάλλευση. Θέλει να διεισδύσει, να την διαπεράσει, να την αποκαλύψει. Θέλει ακόμα να ελέγξει τις καταστρεπτικές επιδράσεις για να περισώσει ό,τι δύναται να σωθεί.

Με τον δικό του τρόπο το πετυχαίνει στις φωτογραφίες του. Δεν σώζει μόνο την εξωτερική εμφάνιση αλλά, κυρίως, την εσωτερική ουσία. Οι εικόνες του καθρεφτίζουν ένα ρυθμό και μία διάθεση. Είναι μία μελέτη αχρονικότητας: τα πουλιά, τα φυτά και τα σύννεφα του είναι διαχρονικά. Εμβαθύνοντας αργά στις φωτογραφίες του νιώθεις ένα με τον πυρήνα των πραγμάτων - μία αίσθηση ανάλογη με αυτή των μυστικιστών σε βαθύ διαλογισμό. Πρόκειται για μία εισαγωγή στον τρόπο της κοσμικής συνείδησης.

Με άλλα λόγια το βιβλίο αυτό είναι μια προσευχή:
στην Φύση, την Ομορφιά, την Ύπαρξη.
Μία δέηση για την διατήρηση της αθωότητας,
της αγνότητας και της τελειότητας.
Είθε να εισακουστεί!

This book is much more than a volume of text and photographs. It is an invocation and an incantation.

Like the primitive people in the caves of Lascaux and Altamira, Petrou depicts what he wants to control. But, in his case, control over nature does not mean transformation or exploitation. It means understanding, permeating and revealing. It also means controlling the destructive influences and saving whatever can still be saved.

In his way, Petrou saves it in his photographs. Not just the outward appearance but mainly the inner essence. His pictures are reflective of a rhythm and a mood. They are a study in timelessness - his birds and plants and clouds are sempiternal. Looking at them slowly, one feels united to the core of things - a sensation akin to that experienced by mystics in deep meditation. It immerses the reader in an art of cosmic consciousness.

In other words, this book is a prayer: to Nature, to Beauty, to Being. A prayer for the preservation of innocence, purity and perfection. May it be heeded!

Νίκος Δήμου   Nikos Dimou

Το βιβλίο αυτό περιγράφει την ιστορία της Ζωής σε μια υπέροχη λίμνη, σ' ένα μοναδικό οικοσύστημα. Είναι μια ιστορία για πουλιά και ζώα, λουλούδια, δένδρα και άλλα φυτά, γιά μια σπάνια ποικιλότητα. Είναι ταυτόχρονα μια θλιβερή ιστορία για την αλόγιστη επέμβαση του ανθρώπου. Το ταλέντο, η αγάπη και η αφοσίωση του ατόμου που μας τη διηγείται είναι ιδανικό παράδειγμα για το πως μπορεί να αναπτυχθεί περιβαλλοντική συνείδηση.

Ο Οργανισμός Ηνωμένων Εθνών είναι πρωτοπόρος στη μάχη για να αναστραφεί η πορεία προς την καταστροφή και να εξασφαλιστεί το μέλλον μας. Στην προσπάθειά του αυτή βασίζεται σε μεγάλο βαθμό σε παρόμοιες ατομικές πρωτοβουλίες, για να σημάνει τον κώδωνα του κινδύνου και να προσφέρει εναλλακτικές λύσεις για μια βιώσιμη ανάπτυξη που λαβαίνει υπ'όψη την προστασία του περιβάλλοντος. Μέσα από σκληρή εργασία, επιστημονική έρευνα και τη διεθνή νομοθεσία οι λύσεις αυτές υπάρχουν πλέον. Πρέπει όμως να εφαρμοστούν στην πράξη.

Οι σελίδες που ακολουθούν μας δίνουν την σημερινή εικόνα της Λίμνης Κερκίνης. Πίσω τους όμως διαφαίνεται ο κίνδυνος να γίνει η λίμνη ένας "άψυχος, στείρος ταμιευτήρας νερού", όπως λέει ο συγγραφέας. Αν αυτό συμβεί, τότε θα είμαστε όλοι φτωχότεροι.

This is the story of Life at a beautiful lake and its unique ecosystem. It is about birds and animals, flowers, trees and other plants, all so varied and rare. It is also a sad story of thoughtless human intervention. This story is brought to us by a person whose talent, love and dedication make a perfect example of what is necessary to develop environmental awareness among us.

The United Nations Organisation, which has pioneered in the battle to reverse the tide of destruction and to secure a safe world for the future, has relied on such individual cries to help sound the alarm and offer environmentally sound options. Through hard work, scientific research and international law, such options are now available. They need to be implemented.

What these pages show us, is Lake Kerkini today. Behind them looms the threat of it becoming a "soulless, sterile water reservoir" according to the author of this work. Should this come about, we shall all be the poorer for it.

Μ. Γόντικα

Μίρκα Γόντικα
Υπεύθυνη
Κέντρο Πληροφόρησης ΟΗΕ, Ελλάδα

Mirka Gontika
Officer in Charge
United Nations Information Centre, Greece

Καθώς πολλοί και διαλεχτοί τόποι της ελληνικής φύσης χάνονται με γοργούς ρυθμούς, η ζωτική ανάγκη για ενημέρωση, προβολή και διαφύλαξη των πανέμορφων βιότοπων της χώρας μας, αποτέλεσε για εμάς το κίνητρο για τη χορηγία μιας σειράς βιβλίων-λευκωμάτων που αναφέρονται αποκλειστικά σε βιότοπους του ελληνικού χώρου. Έτσι, τα "Καθρεφτίσματα στην Κερκίνη" ακολουθούν την έκδοση "Εικόνες από τη Δαδιά" που κυκλοφόρησε στις αρχές του 1994 κι αναφερόταν στο ομώνυμο δάσος της Θράκης.

Στα "Καθρεφτίσματα στην Κερκίνη" επιχειρείται η καταγραφή ενός διαφορετικού αλλά πολύ σημαντικού χώρου της Μακεδονίας, του υγρότοπου της "τεχνητής" λίμνης Κερκίνης που σχηματίζεται από τον ποταμό Στρυμόνα. Καθώς οι εποχές εναλλάσσονται, η ζωή στο δέλτα μεταμορφώνεται, άλλοτε οικεία, φιλική και ήρεμη, άλλοτε άγρια, γεμάτη χρώματα και ήχους. Είναι μια συναρπαστική καταγραφή της ζωής και του χώρου της Κερκίνης αλλά κυρίως των χρωμάτων, της μαγικής παλέτας της φύσης, που οφείλουμε όλοι μας να προστατέψουμε.

Θεωρούμε τη χορηγία αυτής της σειράς των βιβλίων σαν προέκταση της μέριμνας της εταιρίας μας για το περιβάλλον. Το ενδιαφέρον μας επεκτείνεται στην εναρμόνιση της ανάπτυξης και της δημιουργικής χρήσης του ηλεκτρισμού, με την αναβάθμιση του ζωτικού φυσικού μας χώρου, τη διαφύλαξη του φυσικού μας πλούτου και την προστασία της ποιότητας της ζωής μας.

Asea Brown Boveri A.E.

As many exceptional places of greek nature are disappearing with alarming speed, there is a vital need to draw public attention to this and preserve the places of outstanding beauty around us. This is our motive for sponsoring this series of books which capture the life of some of the most environmentally precious places of our country. This volume, "Reflections on Kerkini" is the second in the series which began in early 1994 with "Images of Dadia", about the forest of Dadia in Thrace.

"Reflections on Kerkini" present another important area of northern Greece, the "artificial" lake of Kerkini created by the river Strymon in Macedonia. As the seasons unfold, life at this wetland is transformed, often friendly and peaceful, sometimes wild, but always alive with colour and sounds. It is a spectacular record of the life and the place, conveying the full range of nature's magical palette. The lasting impression is one of beauty which we ought to protect.

Assisting the publication of this series is a way to express our company's concern for the environment. Our keen interest combines harmoniously the creative use of energy and technology with the upgrading of our natural environment, the preservation of the natural resources and the protection of the quality of our lives.

Asea Brown Boveri S.A.

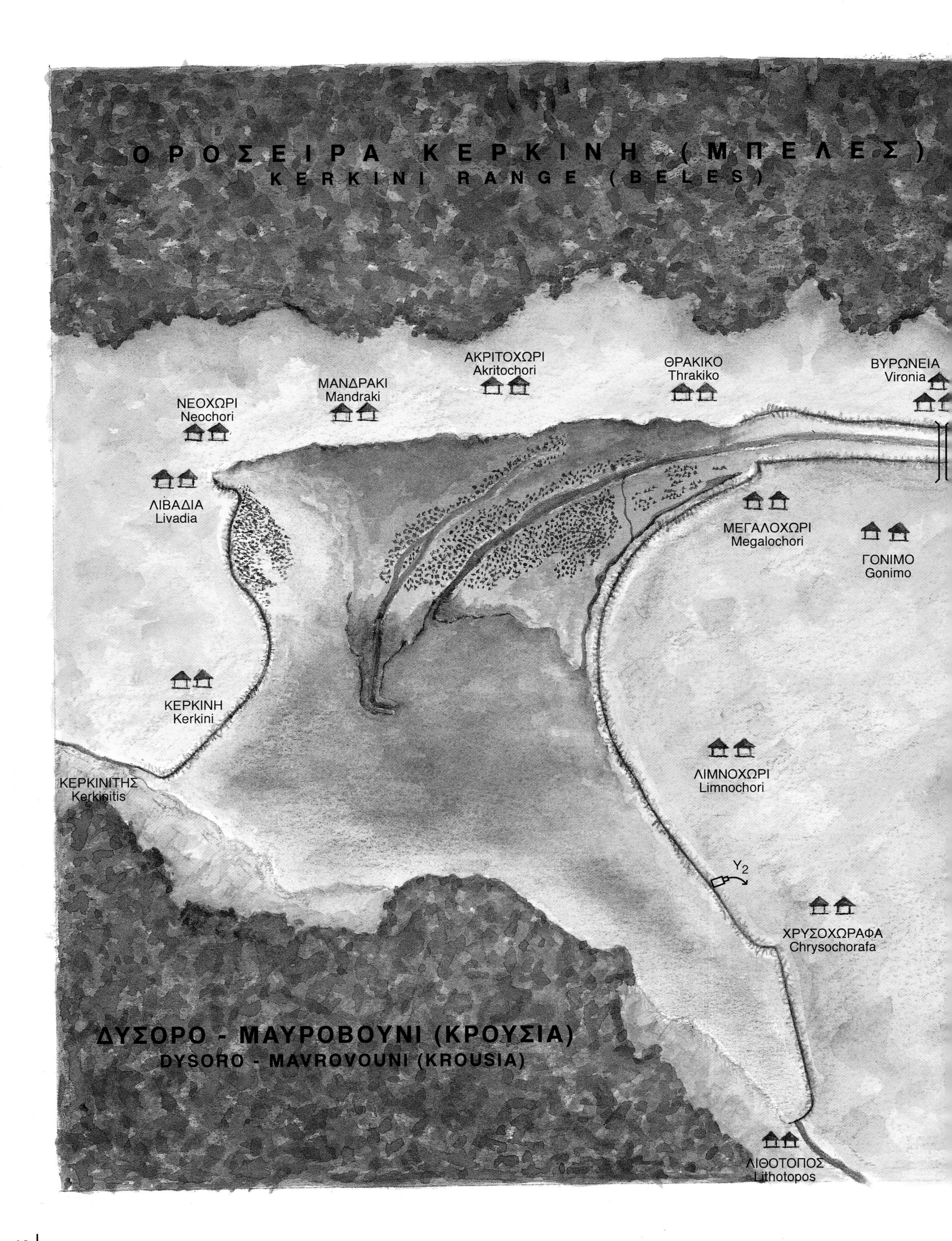
ΟΡΟΣΕΙΡΑ ΚΕΡΚΙΝΗ (ΜΠΕΛΕΣ)
KERKINI RANGE (BELES)
ΑΚΡΙΤΟΧΩΡΙ
Akritochori
ΘΡΑΚΙΚΟ
Thrakiko
ΒΥΡΩΝΕΙΑ
Vironia
ΜΑΝΔΡΑΚΙ
Mandraki
ΝΕΟΧΩΡΙ
Neochori
ΛΙΒΑΔΙΑ
Livadia
ΜΕΓΑΛΟΧΩΡΙ
Megalochori
ΓΟΝΙΜΟ
Gonimo
ΚΕΡΚΙΝΗ
Kerkini
ΚΕΡΚΙΝΙΤΗΣ
Kerkinitis
ΛΙΜΝΟΧΩΡΙ
Limnochori
Y2
ΧΡΥΣΟΧΩΡΑΦΑ
Chrysochorafa
ΔΥΣΟΡΟ - ΜΑΥΡΟΒΟΥΝΙ (ΚΡΟΥΣΙΑ)
DYSORO - MAVROVOUNI (KROUSIA)
ΛΙΘΟΤΟΠΟΣ
Lithotopos

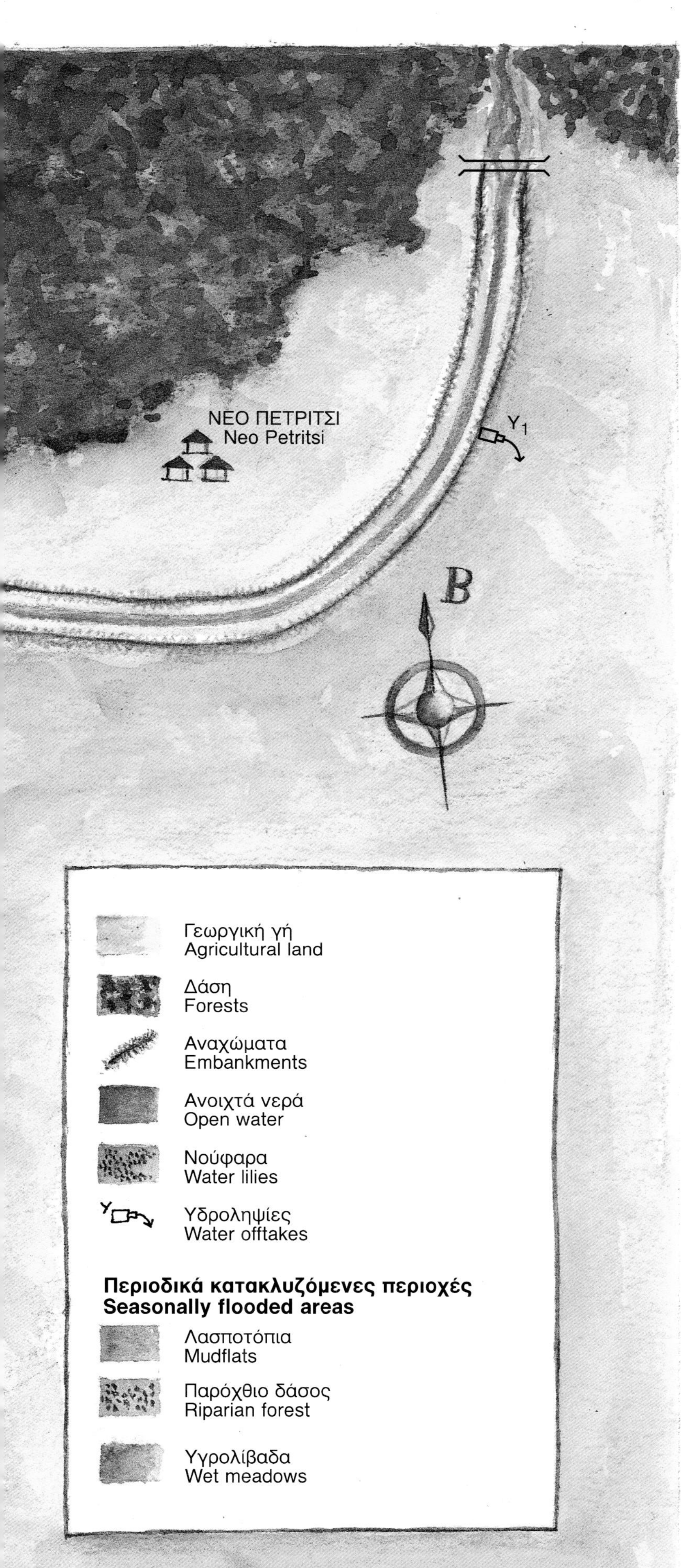

ΛΙΜΝΗ ΚΕΡΚΙΝΗ

LAKE KERKINI

ΚΑΘΡΕΦΤΙΣΜΑΤΑ ΣΤΗΝ ΚΕΡΚΙΝΗ

Ήταν ο ποταμός που έδωσε μορφή στην καινούργια γή· ήταν ο ποταμός που το κατόρθωσε, χτίζοντας, γκρεμίζοντας και ξαναχτίζοντας σε μια αέναη διεργασία.....

Όλα άρχισαν 24 περίπου εκατομμύρια χρόνια πριν, σε χρονικές περιόδους τόσο κολοσσιαίες που ο ανθρώπινος νους αδυνατεί να τις συλλάβει, όταν η έντονη τεκτονική δραστηριότητα δημιούργησε την επιφανειακή μορφολογία της περιοχής που αργότερα θα ονομαζόταν Βόρειο Αιγαίο.

Δεν έγιναν κατακλυσμιαίες ανακατατάξεις. Υπήρξε μόνο μια αργή, αδιάκοπη ανύψωση των βράχων που τελικά φανέρωσε τα κυριότερα χαρακτηριστικά της περιοχής. Ανάμεσά τους, δύο οροσειρές που εκτείνονταν από τα βορειοδυτικά προς τα νοτιοανατολικά και χωρίζονταν από ένα τεράστιο βύθισμα.[1]

Μα μόλις είχαν υψωθεί τα νεαρά βουνά πάνω από τις πεδιάδες που τα περιέβαλαν δέχτηκαν την επίθεση διαβρωτικών δυνάμεων. Χείμαρροι και ρυάκια άρχισαν να κατατρώγουν τις πλαγιές τους, αποσπώντας τους χώμα και βράχια, οι παγεροί χειμώνες έκαναν θρύψαλα πελώριους ογκόλιθους, τρομακτικές ανεμοθύελλες ξέσκιζαν τις κορυφές τους και οι σεισμοί κατάπιαν τα υψίπεδα, σχηματίζοντας φαράγγια και κοιλάδες.

Μαζί με τα βουνά γεννήθηκε ένας ποταμός. Αναπτυσσόταν όσο αναπτύσσονταν, προορισμένος να κατεβάζει το βρόχινο νερό και το λυωμένο χιόνι από τα επιβλητικά τους ύψη, θρεμένος από αμέτρητα ρυάκια, ρέματα και χείμαρρους. Εκατομμύρια χρόνια αργότερα οι άνθρωποι θα τον ονόμαζαν Στρυμόνα[2].

Από τότε πολλοί είναι οι παράγοντες που επέδρασαν για να δώσουν στα τοπογραφικά χαρακτηριστικά της περιοχής την γνώριμη, σημερινή τους όψη και, άλλος λίγο άλλος πολύ, διαμόρφωσαν το οικοσύστημα. Όμως η μορφογένεση και η εξέλιξη των οικοτόπων στη βορεινή γωνιά της ταφρολεκάνης, εκεί που βρίσκεται σήμερα η λίμνη Κερκίνη, είναι δώρο του ποταμού.

Η θάλασσα επεκτάθηκε από τον νότο, κατέκλυσε τη λεκάνη του Στρυμόνα κι ύστερα αποτραβήχτηκε ξανά, εγκαταλείποντας πίσω της θαλάσσια ιζήματα και ρηχές λίμνες με υφάλμυρα νερά, για να επιστρέψει και πάλι εκατοντάδες χιλιετηρίδες αργότερα, σ' ένα κύκλο που επαναλήφθηκε αρκετές φορές κατά τη διάρκεια της Νεογενούς περιόδου. Στην Πλειόκαινο περίοδο η θάλασσα εξαπλώθηκε ως το νότιο τμήμα της λεκάνης των Σερρών, αγγίζοντας τους πρόποδες των βουνών. Λιμνοποτάμια οικοσυστήματα κυριάρχησαν στο λεκανοπέδιο Σερρών/Στρυμόνα, συνυπάρχοντας κατά καιρούς με ρηχά θαλάσσια, παραθαλάσσια, λιμναία ή ακόμα και δελταϊκά οικοσυστήματα.

Οι τεκτονικές δυνάμεις εξακολούθησαν να επηρεάζουν το τοπίο εξισορροπόντας την συμπίεση με προσεκβολή, τις κατακρημνίσεις με ανύψωση και ιζηματογένεση. Προς το τέλος της Πλειστοκαίνου, η τεκτονική δραστηριότητα εντάθηκε και παλι και προκάλεσε καθίζηση των ηπειρωτικών ζωνών του Βορείου Αιγαίου, επιτρέποντας στη θάλασσα να εισχωρήσει στην περιοχή. Στη λεκάνη των Σερρών/Στρυμόνα το επιφανειακό ανάγλυφο νεαροποιήθηκε και ανανεώθηκε δραστικά.

Στο μεταξύ ο ποταμός δούλευε ασταμάτητα. Πλατύς και αφρισμένος, μετέφερε εκατομμύρια τόνους κλαστικών υλικών, άμμο και λάσπη, πέτρες και χαλίκια, γεμίζοντας γοργά τις λίμνες και τις ρηχές λιμνοθάλασσες, σωρεύοντας το χώμα της μελλοντικής πεδιάδας των Σερρών. Κι ακόμα, οι βίαιες πλημμύρες του ξεχειλίζοντας με φοβερή μανία, παρέσερναν συντρίμια με κοφτερές αιχμές που ξέγδερναν ότι έβρισκαν στο δρόμο τους, χαράζοντας βαθειά αυλάκια στα ιζήματα που είχαν εναποτεθεί προηγουμένως.

Οι αλλαγές του κλίματος στον πλανήτη επηρέασαν και την περιοχή. Κάποια είδη ζώων και φυτών αναπτύχθηκαν ιδιαίτερα, άλλα εξαφανίστηκαν. Το υγρό, μάλλον τροπικό κλίμα που, στην αρχή της Νεογενούς περιόδου, είχε ευνοήσει τον σχηματισμό μεγάλων λιμνών, σταδιακά έγινε ξηρό. Διάφορα είδη χόρτων και γρασιδιών επεκτάθηκαν και τα δάση αντικαταστάθηκαν από σαβάνες και στέππες.
Οι εναλλαγές παγετωδών και μεσοπαγετωδών διαστημάτων κατά τη διάρκεια της Πλειστοκαίνου προκάλεσαν γοργές κλιματικές μεταβολές. Το κλίμα έγινε ξηρό και άνυδρο, το δε επίπεδο της επιφάνειας της θάλασσας χαμήλωσε σημαντικά.

Η λήξη του τελευταίου Ευρωπαϊκού παγετώδους επεισοδίου (παγετώνας του Würm) συνέπεσε με την αρχή της Ολοκαίνου ή Προσφάτου περιόδου, πριν 20.000 χρόνια. Μια τεράστια λίμνη σχηματίστηκε όταν έλυωσαν οι παγετώνες που είχαν σκεπάσει τις ψηλότερες κορυφές της Ροδόπης και κάλυψε τα χαμηλότερα σημεία της λεκάνης των Σερρών/Στρυμόνα. Ο ποταμός και πολυάριθμοι πλευρικοί χείμαρροι άρχισαν αμέσως να την προσχώνουν, μειώνοντας σύντομα το βάθος της και ελαττώνοντας το μέγεθός της.

Κατά τους Κλασσικούς και Ελληνιστικούς χρόνους η τεράστια μεσοπαγετώδης λίμνη είχε συρρικνωθεί σε δύο μικρότερες.

---

1. Οι άνθρωποι, πολύ αργότερα, ονόμασαν τα δυτικά βουνά Σερβομακεδονική οροσειρά και τα ανατολικά, οροσειρά της Ρίλλας-Ροδόπης. Το απέραντο λεκανοπέδιο που απλώνεται ανάμεσά τους ονομάστηκε λεκάνη των Σερρών/Στρυμόνα. Σήμερα η Σερβομακεδονική οροσειρά δρασκελίζει τα σύνορα μεταξύ Βουλγαρίας και πρώην Γιουγκοσλαβίας και εκτείνεται στην Ελλάδα από το όρος Κερκίνη στα Ελληνοβουλγαρικά σύνορα, μέσω του Δύσορου και του Μαυροβουνίου, ως τον Χολομόντα και τον Άθω. Στα ανατολικά, η οροσειρά της Ροδόπης περνάει από τη Βουλγαρία στην Ελλάδα στο όρος Όρβηλος και κατηφορίζει μέσω του Φαλακρού και του Παγγαίου ως το Σύμβολο και το Ιψάριο κοντά στην Καβάλα.

2. Ο Ησίοδος είναι ο πρώτος που αναφέρει το όνομα Στρυμόνας στη "Θεογονία" του, στα μέσα του 8ου π.Χ. αιώνα.

REFLECTIONS ON KERKINI

It was the river that formed the new land; it was the river that took it away, building, tearing down and rebuilding in an endless process ....

It all started some 24 million years ago, extending over periods of time so vast as to become incomprehensible to the human mind. Intense tectonic activity gave rise to the surface topography of that which was later to be called the Northern Agean area. There were no cataclysmic events but rather a slow, unceasing uplift of rock that eventually gave birth to the major features of the area. Among them, two mountain chains stretched from the northwest to the southeast, separated by a large depression.[1]

No sooner had the young mountains risen above the surrounding lowlands, powerful eroding forces started to attack them. Steams and torrents begun to gnaw at their flanks, carrying away soil and rocks, freezing winters fractured huge boulders, tremendous winds tore at their peaks and earthquakes toppled their crests forming gorges and valleys.

Along with the mountains a river was born, growing as they grew, called into being to carry rainwater and melting snow down from the lofty heights, fed by countless rivulets, small streams and torrents. Millions of years later humans would give the river the name Strymon[2].

Since then, through the action of many forces, the topographic features of the area assumed the forms with which we are familiar today and the ecosystems therein acquired their basic configuration. However, the morphogenesis and evolution of habitats in the northern corner of the basin, where Lake Kerkini is located today, is a gift of the river.

The sea advanced from the south, inundating the Strymon basin, then regressed, leaving behind marine sediments and shallow brackish lakes, only to return again hundreds of millennia later in a cycle that was repeated several times throughout the Neogene. During the Pliocene epoch, the sea extended as far as the southern part of the Serres basin, lapping at the feet of the mountains. Fluviolacustrine environments dominated the Serres/Strymon basin, occasionally coexisting with shallow marine, coastal, lagoonal or even deltaic environments.

Tectonic forces continued to influence the landscape, thrust countering compression, subsidence balanced by uplift and sedimentation. Towards the end of the Pleistocene period, tectonic activity intensified again, causing the subsidence of the North Aegean continental zones, allowing the sea to enter the North Aegean area. In the Serres/Strymon basin the microrelief of the terrain was extensively rejuvenated.

During this time the river had been furiously at work. Wide and turbulent, it transported millions of tons of clastic materials, rocks and rubble, sand and silt, rapidly filling-in the lakes or shallow lagoons, laying down the soils of the future Serres plain. On the other hand its fierce floods, rushing downstream with terrifying force, carried huge amounts of debris with sharp cutting edges, scouring everything that stood in the way, carving deep channels through previously laid sediments.

Global climatic changes affected the area with plant and animal species flourishing or becoming extinct. The humid, rather tropical climate at the beginning of the Neogene which favoured the formation of large lakes, gradually became dry and arid.

Grasses and weedy plants expanded and forests were replaced by savannahs and steppes. The alterations of glacial and interglacial intervals during the Pleistocene epoch caused rapid climatic fluctuations with the climate becoming semi-arid and the sea level dropping considerably.

The end of the last European glacial episode (Würm glaciation) marked the beginning of the Holocene or Recent epoch, 20,000 years ago. A vast lake, fed by the melting glaciers that had covered the higher elevations of the Rhodopi mountains, occupied the lower parts of the Serres/Strymon basin. The sediments carried by the river and numerous lateral torrents started to fill-in the lake, rapidly decreasing its depth and diminishing its size.

During Classical and Hellenistic times, the huge interglacial lake had been reduced to two smaller, separate ones. Historians of that era first mention the name Kerkini, calling the large lake to the south "Kerkinitis". The much smaller one, in the northwestern corner of the basin, they called "Prassias"[3]. They also state that the Strymon was navigable up to the Edonian city of Nine Ways, later to become Amphipolis, and even farther north, some 40 Km through the southern lake. Its valley was the easiest way to enter Macedonia from the east, heading first north, skirting lake Prassias, then over the passes of Dysoron (present day Dysoron, also called Krousia, mountain) to the valley of the Echedoros river (present day Gallikos) and hence to Macedonia.

Several Thracian tribes inhabited the wild lands of the Serres/Strymon basin, until they were subjugated or displaced by the expanding Macedonians in the 5th century BC. Among

1. Man would name the western chain the Serbomacedonian massif and the eastern one the Rilla-Rhodopi massif. The basin that lay between them would be named the Serres/Strymon basin. Today the Serbomacedonian massif straddles the frontier between Bulgaria and former Yugoslavia, extending into Greece from the Kerkini mountain at the Greek-Bulgarian border, through Dysoron and Mavrovouni to Cholomon and Athos. To the east the Rilla-Rhodopi massif crosses from Bulgaria into Greece at Mount Orvilos, extending down through Phalakro and Pageon to Symvolo and Ipsario near the city of Kavala.

2. Hesiod was the first to mention the name Strymon in his "Theogony" in the 8th century B.C.

3 Today, some historians claim that lake Prassias should be identified as present day lake Doirani. However Herodotus, when describing the way from lake Prassias to Macedonia, clearly states that ".... from Prassias, a man .... needs but cross the mountain called Dysoron to be in Macedonia ...." That places lake Prassias east of Mount Dysoron - which has been identified beyond doubt as the present day Dysoron/Mavrovouni range - therefore in the northern part of the Strymon basin, where Lake Kerkini lies today. Lake Prassias was also in Peonian lands, close to the Strymon, while lake Doirani is quite far from the river.

Οι ιστορικοί της εποχής αναφέρουν για πρώτη φορά την ονομασία Κερκίνη, αποκαλώντας τη μεγάλη λίμνη στη νότια πλευρά της λεκάνης των Σερρών "Κερκινίτιδα". Τη μικρότερη, που βρισκόταν στη βορειοδυτική γωνία της λεκάνης, την ονόμαζαν "Πρασσιάδα"[3]. Επίσης αναφέρουν ότι ο Στρυμόνας ήταν πλωτός μέχρι την Ηδωνίδα πόλη των Εννέα Οδών, τη μετέπειτα Αμφίπολη, και ακόμη βορειότερα, περίπου 40 χιλιόμετρα μέσα από τη νότια λίμνη. Η κοιλάδα του ήταν η ευκολότερη δίοδος για να περάσει κανείς στη Μακεδονία από τα ανατολικά, με κατεύθυνση αρχικά προς βορρά, παρακάμπτοντας την Πρασσιάδα και μετά, μέσα από τα περάσματα του Δύσορου (σημερινό όρος Δύσορο, που οι ντόπιοι ονομάζουν και Κρούσια) στην κοιλάδα του ποταμού Εχέδωρου (σήμερα Γαλλικός) κι από κεί στη Μακεδονία.

Θρακικές φυλές κατοικούσαν τις άγριες περιοχές της λεκάνης των Σερρών/ Στρυμόνα, ώσπου υποδουλώθηκαν ή εκδιώχτηκαν από τους Μακεδόνες που επεκτάθηκαν προς τα ανατολικά κατά τον 5ο αιώνα π.Χ. Οι Βισάλτες κατοικούσαν στις κοιλάδες του Δύσορου, οι Ήδωνες ανατολικά του ποταμού και διάφορα φύλα των Παιόνων στα ενδώτερα, κοντά στη Σίριδα (σημερινές Σέρρες), γύρω από την Πρασσιάδα και στην άνω κοιλάδα του Στρυμόνα.

Ο Ηρόδοτος μας μετεφέρει μια αξιοσημείωτη περιγραφή ενός πασσαλόπηκτου οικισμού Παιόνων στη λίμνη Πρασσιάδα, τον οποίο μάλλον επισκέφθηκε στις αρχές του 5ου π.Χ. αιώνα. ".... Στη μέση της λίμνης βρίσκεται μια εξέδρα στηριγμένη σε ψηλούς πασσάλους. Οι πάσσαλοι που τη στηρίζουν στήθηκαν στα παλιά χρόνια απ όλους τους κατοίκους μαζί, όμως τώρα ένα νέο έθιμο καθορίζει τον τρόπο της τοποθέτησής τους ως εξής: οι πάσσαλοι μεταφέρονται από το όρος Όρβηλος[4] και κάθε άνδρας βάζει τρείς για κάθε μια από τις γυναίκες που παντρεύεται· και καθένας έχει πολλές γυναίκες. Όσο για τον τρόπο της κατοικίας τους, κάθε άνδρας της εξέδρας είναι ιδιοκτήτης της καλύβας όπου ζεί και μιας καταπακτής στην εξέδρα η οποία ανοίγει πάνω από τη λίμνη. Δένουν με σκοινί τα μικρά παιδιά από το πόδι, μήπως και πέσουν στο νερό ...."

Πυκνά δάση από οξιές, βελανιδιές, πεύκα και καστανιές σκέπαζαν τα βουνά και τους λόφους, καθώς και το μεγαλύτερο μέρος της πεδιάδας γύρω από τις λίμνες. Από κει προέρχονταν οι τεράστιες ποσότητες καυσόξυλων, αλλά και ξυλείας που ήταν απαραίτητη για την παρασκευή κάρβουνου, πίσσας και ρετσινιού, μα πάνω απ' όλα για την κατασκευή οικισμάτων, οχυρώσεων, γεφυρών, πλωτών μέσων και πλοίων. Το 480 π.Χ., ο Περσικός στρατός προελαύνοντας προς τη Νότια Ελλάδα, πέρασε το Στρυμόνα πάνω από μια ξύλινη γέφυρα στηρηγμένη σε βάρκες. Τα υπολείμματά της βρέθηκαν στα ερείπια της αρχαίας Αμφίπολης και υπολογίστηκε πως για την κατασκευή της χρησιμοποιήθηκαν 12.000 κορμοί δένδρων που κόπηκαν από τα γειτονικά δάση.

Στην περιοχή υπήρχαν πάρα πολλά άγρια θηράματα: κάπροι, ελάφια, αρκούδες και τεράστιοι ταύροι με μακρυά κέρατα, αλλά και άγρια σαρκοφάγα, λιοντάρια, λεοπαρδάλεις και λύγκες.

Σύμφωνα με τον Ηρόδοτο, τα λιοντάρια ήταν άφθονα στο Δύσορο και επιτέθηκαν στο στρατό του Ξέρξη όταν περνούσε από εκεί: ".... μες τη νύχτα κατέβαιναν από τις κρυψώνες τους στο βουνό κι αποδεκάτισαν τις καμήλες, χωρίς ν'αρπάζουν τίποτε άλλο, άνδρες ή κτήνη· κι αναρωτιέμαι ποιός ήταν ο λόγος που έσπρωξε τα λιοντάρια να μην αγγίξουν τίποτε άλλο και να επιτεθούν στις καμήλες, πλάσματα των οποίων, ως τότε, δεν είχαν ούτε την εικόνα ούτε την αντίληψη ...."

Οι λίμνες και τα έλη του Στρυμώνα ήταν ξακουστά για τα υδρόβια πουλιά τους. Έχει βρεθεί ένα νόμισμα των Βισαλτών που εικονίζει ένα γερανό, η δε αγριόχηνα ήταν κοινό έμβλημα στη νομισματοκοπία των Ηδώνων. Τα ψάρια ήταν τόσο άφθονα ώστε οι ντόπιοι ".... τάιζαν μ' αυτά τα άλογα και τα υποζύγιά τους ...." Ο Ηρόδοτος αναφέρει δύο είδη ψαριών, τους "πάπρακες" και τους "τίλωνες", και τα δύο τόσο πολυάριθμα ώστε, ".... αν κάποιος άνοιγε την καταπακτή του και έριχνε στη λίμνη ένα άδειο καλάθι, δεμένο με σχοινί, πολύ σύντομα το τραβούσε επάνω γεμάτο ψάρια ...."

Για πολλούς αιώνες οι άνθρωποι έζησαν σε αρμονία με τους υγρότοπους. Οι λίμνες και ο ποταμός τους πρόσφεραν ψάρια και αγριοπούλια, αλλά και διάφορες πρώτες ύλες και νερό για την άρδευση των χωραφιών. Οι ανθρώπινες παρεμβάσεις γίνονταν πάντα σε μικρή κλίμακα και η έλλειψη τεχνικών γνώσεων έκανε την επίδραση τους στο τοπίο και τους οικότοπους αμελητέα.

Η συνεχής απόθεση φερτών υλών από το Στρυμόνα εξακολούθησε να ελαττώνει το μέγεθος των λιμνών, δημιουργώντας μεγάλα παραλίμνια έλη και εποχιακά πλημμυρισμένες εκτάσεις. Η βόρεια λίμνη ήταν πολύ μικρή, μερικές φορές μάλιστα στέγνωνε τελείως. Κατά την Τουρκοκρατία ονομαζόταν Μπούτκοβο και αργότερα μετονομάστηκε σε Κερκίνη· η νότια λίμνη ονομαζόταν Αχινός.

Το 1806, ο συνταγματάρχης William Leake, ένας Άγγλος αξιωματικός που ταξίδεψε σε πολλές περιοχές της βόρειας Ελλάδας, κατέγραψε τις εντυπώσεις του από τη λίμνη του Αχινού, απ' όπου πέρασε καθ' οδόν προς τις Σέρρες. ".... Μπροστά μας απλωνόταν η λίμνη του Στρυμόνα, την οποία ανέφερε ο Θουκιδίδης και ο Αρριανός, ονομάζοντάς την Κερκινίτιδα .... Η λίμνη δεν είναι τίποτε άλλο από μια διεύρυνση του ποταμού, που ποικίλει σε μέγεθος ανάλογα με την εποχή αλλά ποτέ δεν περιορίζεται μόνο στο εύρος της κοίτης του ποταμού ...." Ο Leake σταμάτησε στο Νεοχώρι, ένα μικρό χωριό κοντά στην έξοδο του Στρυμόνα από τη λίμνη προς την θάλασσα. Αναφέρει μάλιστα ένα φράγμα

3 Σήμερα, κάποιοι ιστορικοί ισχυρίζονται ότι η λίμνη Πρασσιάς δεν είναι άλλη από τη λίμνη Δοϊράνη. Όμως ο Ηρόδοτος περιγράφοντας τον δρόμο από την Πρασσιάδα προς τη Μακεδονία δηλώνει ξεκάθαρα πως, ".... από την Πρασσιάδα κανείς .... δεν έχει παρά να διασχίσει το βουνό που ονομάζεται Δύσορον, για να βρεθεί στην Μακεδονία ...." Αυτό τοποθετεί σαφώς την Πρασσιάδα ανατολικά από το Δύσορο - το οποίο έχει αναγνωριστεί αδιαμφισβήτητα ως η σημερινή οροσειρά Δύσορου / Μαυροβουνίου - και επομένως στο βόρειο τμήμα της λεκάνης του Στρυμόνα, όπου βρίσκεται σήμερα η λίμνη Κερκίνη. Επίσης η Πρασσιάδα βρισκόταν στη γη των Παιόνων, κοντά στο Στρυμόνα, ενώ η Δοϊράνη είναι πολύ πιο μακρυά του.

4 Οι ιστορικοί συμφωνούν πως ο Όρβηλος του Ηρόδοτου δεν είναι άλλος από το όρος Κερκίνη, που βρίσκεται κοντά στη λίμνη και αποτελεί πιθανότερη πηγή ξυλείας από το σημερινό όρος Όρβηλος το οποίο βρίσκεται πιό μακρυά, στα βορειοανατολικά της λίμνης. Οι αρχαίοι ιστορικοί χρησιμοποιούσαν γενικά το όνομα Όρβηλος όταν αναφέρονταν στους ορεινούς όγκους βόρεια και ανατολικά του Στρυμόνα.

them the Visaltes abode in the valleys of Mount Dysoron, the Edones to the east of the Strymon and several clans of the Peones in the interior, around Siris (later day Serres), lake Prassias and the upper Strymon basin.

Herodotus provides us with a remarkable description of a Peonian settlement on lake Prassias, which he apparently visited early in the 5th century BC: ".... There is set in the midst of the lake a platform made fast on tall piles, whereto one bridge gives a narrow passage from the land. The piles which support the platform were set in the old times by all the people working together, but by a later custom this is the manner of their setting: the piles are brought from mountain called Orbelus[4], and every man plants three for each woman that he weds; and each has many wives. For the manner of their dwelling, each man on the platform owns the hut wherein he lives and a trapdoor in the platform leading down into the lake. They make a cord fast to the feet of their little children, lest they fall into the water ...."

Dense forests of beech, oak, pine and chestnut covered the mountains and hills, and the lowlands around the lakes were also thickly wooded. Hence came the enormous quantities of wood used for burning, the manufacture of charcoal, tar and resin, and above all the construction of buildings, fortifications, bridges, boats and ships. In 480 BC, the advancing Persian army threw a wooden bride, supported on boats, across the Strymon. Its remnants were found in ancient Amphipolis and it was estimated that over 12,000 trunks had been used in the construction, all taken from neighbouring forests.

There was great abundance of wild game, boars, deer, bears and huge bulls with long horns, but also fierce predators such as lions, leopards and lynx.

According to Herodotus, lions were plentiful on Mount Dysoron and they attacked the marching army of Xerxes: ".... nightly they would come down, out of their lairs and made havoc of the camels alone, seizing nothing else, man or beast of burden; and I marvel what was the reason that constrained the lions to touch nought else but attack the camels, creatures whereof till then they had neither sight nor knowledge ...."

The lakes and marshes of the Strymon were fabled for their wildfowl. A coin of the Visaltes depicting a crane has been found and the wild goose was a common emblem of Edonian coinage. Fish were so plentiful that the locals ".... gave them for fodder to their horses and beasts of burden ...." Heredotus mentions two kinds of fish in lake Prassias, "paprakes" and "tilones", both so abundant that ".... if a man opens his trap door and lets an empty basket down by a line into the lake, it is no long time before he draws it up full of fish ...."

For long ages the people lived in harmony with the wetlands. The lakes and the river provided fish and wildfowl, various raw materials, and water for cropirrigation. Human intervention was always small-scale and the lack of technical knowledge meant that their influence on the landscape and habitats was negligible.

Continuing active deposition by the Strymon further reduced the size of the lakes, creating large expanses of marshes and seasonally flooded areas. The northern one was quite small, occasionally drying-out completely. During the years of Ottoman occupation it became known as lake Butkovo and was later renamed Kerkini; the southern lake was named Achinos.

In 1806, William Leake, an English officer who travelled extensively over northern Greece, recorded his impression of Lake Achinos as he passed by it, on his way to Serres. ".... Before us opens a fine view of the Strymonic lake, mentioned by Thucydides and by Arrian, which they named Kerkinitis .... The lake is in fact nothing more than an enlargement of the river, varying in size according to the seasons of the year, but never reduced to that of the river only. Besides the Strymon, the Angitas contributes to the inundation, as well as some other smaller streams from the mounts on either side ...." Leake stopped at the village of Neokhori, situated where the Strymon exited the lake on its way to the sea, and mentions a dam across the river providing water for a mill and a fishery. ".... Were it not for this impediment, the river, although rapid, would be navigable to Neokhori and well into the lake ...."

By the turn of the 20th century, a complex, unstable system of small lakes and extensive freshwater marshes covered most of the lower parts the Serres basin. The river Strymon entered the basin from the north through the narrow ravine of Klidi (Ruppel). Upon exiting the defile, it formed a large alluvial fan, covering an area of 180 Km^2. There it spread out, with several channels meandering towards the southeast, supplying water to Lake Kerkini. Downstream from Kerkini the river turned to the east, forming a permanent bed, until, finally, it emptied into the shallow lake of Achinos.

According to surveys by the Greek Army Geological Service in 1927, Lake Kerkini covered an area of some 5 km^2, surrounded by 26 Km^2 of marshes. Lake Achinos covered 80 Km^2 and its peripheral marshes another 88 Km^2. Both lakes, but mainly the larger Achinos, trapped the flood waters and almost all of the suspended materials carried by the river. This explains the inability of the Strymon to form a delta at its mouth in the bay of Orphanos, in marked contrast to all other rivers in eastern Greece. Instead, deltaic formation took place at the inflow to the lake, while surplus water exited the lake and finally reached the sea through the gorge of Amphipolis.

The river served as a virile, undisciplined, sometimes violent artery of life to the ecosystem, causing constant habitat modification in accordance to changes in its water level.

During flood periods the lakes increased in size and the marshes often extended to the foot of the hills. Surrounding

4 Historians agree that the Orbelus of Herodotus is no other than the Kerkini mountains that are closest to the lake and a more likely source of wood than the present day mount Orvilos, lying well to the northeast of the lake. The name Orbelus was used freely by ancient historians to indicate the spurs of mountains to the north and east of the Strymon.

κοντά στο χωριό, το οποίο τροφοδοτούσε με νερό ένα νερόμυλο και ένα ιχθυοτροφείο. ".... Αν δεν υπήρχε αυτό το εμπόδιο, το ποτάμι, αν και πολύ γοργό, θα ήταν πλωτό μέχρι το Νεοχώρι, κι ακόμα πιό πέρα, μέσα στην λίμνη ...."

Στις αρχές του εικοστού αιώνα, ένα περίπλοκο, ασταθές σύστημα μικρών λιμνών και εκτεταμένων βάλτων με γλυκό νερό εκάλυπτε τα χαμηλά σημεία του λεκανοπεδίου των Σερρών. Ο Στρυμόνας έμπαινε στην λεκάνη από τον βορρά, μεσ' από το στενό φαράγγι του Κλειδιού (Ρούπελ). Βγαίνοντας απ'την στενωπό σχημάτιζε ένα μεγάλο αλλουβιακό ριπίδιο με έκταση 180 χλμ^2. Εκεί εξαπλωνόταν προς τα νοτιοανατολικά διασπείροντας τη ροή του σε πολλά μαιανδρικά κανάλια και τροφοδοτούσε με νερό τη λίμνη Κερκίνη. Μετά την Κερκίνη ο ποταμός στρεφόταν προς τα ανατολικά, σχηματίζοντας μια φαρδειά, μόνιμη κοίτη μέχρι το σημείο που τελικά χανόταν μέσα στα ρηχά νερά της λίμνης του Αχινού.

Σύμφωνα με μετρήσεις της Γεωγραφικής Υπηρεσίας του Ελληνικού Στρατού, το 1927 η λίμνη Κερκίνη κάλυπτε έκταση περίπου 5 χλμ^2, τριγυρισμένη από 26 χλμ^2 τεναγών· η λίμνη του Αχινού κάλυπτε 80 χλμ^2 και τα έλη που την περιέβαλαν άλλα 88 χλμ^2.

Και οι δύο λίμνες, κυρίως όμως η μεγαλύτερη του Αχινού, συγκρατούσαν τα νερά των πλημμυρών και σχεδόν όλες τις φερτές ύλες που κατέβαζε το ποτάμι. Αυτό εξηγεί την αδυναμία του Στρυμόνα να σχηματίσει δέλτα στην εκβολή του, στον κόλπο του Ορφανού, σε αξιοσημείωτη αντίθεση με όλα τα άλλα ποτάμια της ανατολικής Ελλάδας. Αντίθετα, το δέλτα σχηματιζόταν στο σημείο εισροής στη λίμνη, ενώ το πλεόνασμα του νερού με υπερχείλιση έφευγε προς τη θάλασσα μέσα από τα στενα της Αμφίπολης.

Ο ποταμός αποτελούσε μια δυναμική, ατίθαση, και μερικές φορές βίαιη, αρτηρία ζωής για το οικοσύστημα και προκαλούσε συνεχείς τροποποιήσεις των οικοτόπων, ανάλογα με τις αλλαγές της στάθμης του νερού.

Κατά τις περιόδους των πλημμυρών οι λίμνες μεγάλωναν και τα έλη συχνά εκτείνονταν μέχρι τους πρόποδες των λόφων. Τα γύρω δάση και λιβάδια κατακλύζονταν, το νερό έβρισκε ή άνοιγε καινούργιες διόδους και τα υδροχαρή φυτά εξαπλώνονταν και αναπτύσσονταν άφθονα. Στις εποχές ξηρασίας οι λίμνες μίκραιναν, η ροή του νερού περιοριζόταν σε λίγες κοίτες και τα έλη στέγνωναν, αφήνοντας πίσω τους εύφορα χώματα.

Οι αξιόπιστες πληροφορίες γι αυτή την εποχή είναι σπάνιες και αποσπασματικές. Παρ' όλα αυτά γνωρίζουμε ότι η μεγάλη ποικιλία των ενδιαιτημάτων, κυρίως οι βάλτοι και τα εποχιακά πλημμυρισμένα δάση και υγρολίβαδα, συντηρούσαν μια απίστευτα πλούσια άγρια πανίδα με δυναμικούς πληθυσμούς.

Ο F. N. Chasen, που υπηρέτησε στο Βρετανικό εκστρατευτικό σώμα στην πεδιάδα του Στρούμα (Στρυμόνα) το 1916-17, και αργότερα δημοσίευσε τις ορνιθολογικές του παρατηρήσεις, έγραψε ότι ".... η πεδιάδα του Στρούμα παραμένει ακόμα *άγνωστη γη* για τον ορνιθολόγο ...."

Μιλά για ".... πραγματικά τεράστια χειμωνιάτικα κοπάδια από Χαβαρόνια .... κοπάδια που μερικές φορες κάλυπταν δεκάδες στρέμματα ...." και σημειώνει πως ".... σε όλη την πεδιάδα αφθονούν τα μεγάλα αρπακτικά ...."

Οι αετοί ".... ήταν απ' τα χαρακτηριστικότερα πουλιά στην πεδιάδα του Στρούμα - ειδικά το χειμώνα. Δεν ήταν ασυνήθιστο να βλέπεις πάνω σε κάθε ξερό ξύλο, σε κάθε γυμνό δένδρο, ως εκεί που έφτανε το μάτι, αετούς με φουσκωμένο το φτερωμά τους και το κεφάλι τους στραμμένο προς το ποτάμι να παρακολουθούν τις πάπιες που πετούσαν ανήσυχες πάνω - κάτω ...."

Ειδικά οι Βασιλαετοί ήταν ".... οι πιό πολυάριθμοι· μόνιμοι κάτοικοι της περιοχής ....", οι Στικταετοί αποτελούσαν ".... συνηθισμένο θέαμα στην πεδιάδα ...." ενώ ".... πολλοί από τους αετούς που έβλεπα, ήταν Θαλασσαετοί. Στα μεγάλα κρύα, τον Ιανουάριο του 1917, πάρα πολλοί Θαλασσαετοί βρίσκονταν συγκεντρωμένοι στις όχθες του ποταμού Μπούτκοβα ...."

Μαζί με τα τέσερα είδη γυπών, ο Chasen αναφέρει ως αρκετά κοινά και άλλα αρπακτικά, όπως ο Σπιζαετός και το Κιρκινέζι, είδη που σήμερα έχουν σχεδόν εξαφανιστεί και συναντώνται μόνο σε ελάχιστες τοποθεσίες σ' ολόκληρη την Ελλάδα.

Ο Chasen δεν κατάφερε να επισκεφτεί τις λίμνες κατά τη διάρκεια της παραμονής του στην περιοχή, κι' έτσι οι αναφορές του για τα χηνοπαπιά και τα υδρόβια πουλιά είναι λιγότερο ακριβείς. Πάντως μνημονεύει εξαιρετικά κυνήγια πάπιας στον Στρούμα, με πολύ μεγάλες "τσάντες" από όλα τα είδη των παπιών, και τεράστια κοπάδια χήνες που εκτελούσαν καθημερινά σταθερές διαδρομές πάνω από την πεδιάδα.

Ένας άλλος Βρετανός στρατιωτικός, ο λοχαγός A. Sladen αναφέρεται σε μεγάλα κοπάδια Χαμωτίδες που συνάντησε στην περιοχή το χειμώνα και σε χιλιάδες Μαυρογλάρονα που φώλιαζαν στις λίμνες. Λέει επίσης ότι οι Ήταυροι ".... ήταν αρκετά κοινοί και το ιδιόμορφο "μουγκάνισμά" τους ακουγόταν συχνά μεσ' απ' τα ψαθιά ...."

Οι αναφορές των Chasen και Sladen είναι συγκλονιστικές, καθώς ανήκουν στις ελάχιστες λεπτομερείς καταγραφές εκείνης της εποχής. Κι όμως δημιουργούν μια αίσθηση απώλειας και θλίψης, μια και σήμερα μπορούμε μόνο να ονειρευτούμε όλα εκείνα που έχουν περιγράψει σαν κοινότατα.

Στις αρχές της δεκαετίας του 1920 δραματικά γεγονότα συνέβησαν στην ευρύτερη περιοχή των Βαλκανίων, γεγονότα που επρόκειτο να επιφέρουν άμεσες αλλά και μακροπρόθεσμες αλλαγές στο οικοσύστημα Στρυμόνα/Κερκίνης.

Μετά την απελευθέρωση της Μακεδονίας από την Οθωμανική Αυτοκρατορία ήρθε η δραματική κατάληξη της Μικρασιατικής εκστρατείας το 1922. Εξ αιτίας της πάνω από ενάμισυ εκατομμύριο πρόσφυγες πέρασαν στην Ελλάδα. Από αυτούς, περίπου 85.000 εγκαταστάθηκαν στην περιοχή των Σερρών μεταξύ 1922 και 1928, μερικοί στην πόλη των Σερρών και οι περισσότεροι στα χωριά του λεκανοπεδίου.

Οι συνθήκες ζωής στις ελώδεις περιοχές ήταν άθλιες. Ο ποταμός, μη έχοντας κάποια φυσική δεξαμενή ανάντι της λίμνης του Αχινού για να συγκρατεί τις πλημμύρες, κατέστρεφε καλλιέργειες και περιουσίες και οι αρρώστειες θέριζαν τον κόσμο. Μεταξύ 1923-1924, σχεδόν το 20% των προσφύγων που εγκαταστάθηκαν στην πεδιάδα των Σερρών πέθαναν, οι πιό πολλοί από ελονοσία, τη φοβερή αυτή μάστιγα της αγροτικής Ελλάδας στις αρχές του εικοστού αιώνα.

Ήδη από το 1919 η Ελληνική Κυβέρνηση σχεδίαζε την

meadows and forests were flooded, the water found or cut new channels and aquatic vegetation spread and grew in profusion. During periods of drought the lakes diminished in size, water flow was restricted to few beds and the marshes dried out, leaving behind fertile soils.

Reliable information from that period is scarce and patchy. Even so we know that the wide range of habitats, in particular the marshlands and seasonally flooded meadows and forests supported an unbelievably rich wildlife with thriving populations.

F. N. Chasen, who served with the British forces in the Struma (Strymon) plain in 1916-17 and later published his ornithological observations, wrote that ".... the Struma plain still remains *terra incognita* to the ornithologist ...."

He speaks of ".... truly terrific winter flocks of Rooks .... flocks that on occasions could almost be measured by the acre ...." and notes that ".... the whole plain abounds with large Accipiters ...."

Eagles ".... were a prominent feature of the bird-life on the Struma plain - in winter especially. It was not unusual for every post or bare tree within vision to be occupied by a lumpy looking Eagle, whose head was for ever turned in the direction of the river, watching the Ducks flying uneasily up and down ...." In particular Imperial Eagles were ".... the most numerous; resident in the area ....", Spotted Eagles ".... were seen commonly on the plain ...." while ".... a fair proportion of all the Eagles seen were White-tailed Eagles. In severe weather, in January 1917, they were particularly numerous on the banks of the Butkova river ...."

In addition to all four species of vultures, other raptors such as Bonelli's Eagle and Lesser Kestrel are reported as quite common, species that have presently vanished from all but very few locales in the whole country.

Chasen did not manage to visit the lakes during his stay in the area so his records on waterfowl and waterbirds are less accurate. Still he mentions excellent duck shooting on the Struma with very large bags of all kinds of ducks and vast flocks of geese with regular flight lines established across the plain.

Another British serviceman, Captain A. Sladen, refers to large flocks of Little Bastards present in the winter and thousands of breeding Black Terns. He also states that Bitterns ".... are comparatively common and their booming note is often heard among the rushes ...."

The reports of Sladen and Chasen are fascinating to read, since they are among the few detailed records from that period. Yet they leave behind a sense of loss and a lingering sadness, for today we can only dream about what they describe as commonplace.

In the early 1920s dramatic events occurred in the greater area of the Balkans, events that would bring about direct and far reaching changes for the Strymon/Kerkini ecosystem.

After the liberation of Macedonia and Thrace from the Ottoman Empire came the dramatic aftermath of the 1922 debacle in Asia Minor, as a result of which more than one and a half million refugees flocked into Greece. Of these, approximately 85,000 refugees settled in the Serres area between 1922 and 1928, some in the city of Serres but most in the villages of the basin.

Living conditions in the marshy areas were marginal. The river, lacking a natural reservoir upstream of Lake Achinos to contain its floods, wreacked havoc on crops and property and diseases were rampant. Between 1923-1924, almost 20% of the refugees settled in the Serres plain died, mostly from malaria- the scourge of rural Greece during the first part of the twentieth century.

Ever since 1919 the Greek Government had been planning land reclamation on a large scale throughout Macedonia. Due to the acute demand for agricultural lands, created by the massive population movements of 1922, and the necessity to combat malaria, drainage and land reclamation schemes were rapidly put into effect in the late 1920s.

In 1928, the New York firm of John Monks-Ulen & Co was contracted to plan and execute the works that would turn the Serres plain ".... from adesolate, an hygienic region .... into thousands of acres of fertile fields ...."

The project pivoted on the creation of an artificial reservoir in the area of the small Lake Kerkini that would contain and control the floodwaters of the Strymon, thus facilitating the drainage of Lake Achinos and its peripheral marshlands. It also included alignment and diking of the Strymon bed, both upstream and downstream from Lake Kerkini, and extensive canalisation, drainage and flood control works in the rest of the basin.

Using the finest technical means available at the time, including pull-shovels, drag lines, huge winches, floating dredges and a small locomotive to transport excavated material, Monks-Ulen managed to complete the works within an amazing six years.

The dam was built across the Strymon near the village of

αποξήρανση εδαφών σε μεγάλη έκταση σ' ολόκληρη τη Μακεδονία. Εξ αιτίας των αυξημένων αναγκών για καλλεργήσιμα εδάφη που δημιουργήθηκαν από τις μαζικές μετακινήσεις πληθυσμών του '22, και της ανάγκης να καταπολεμηθεί η ελονοσία, τα αποστραγγιστικά έργα και η ανάκτηση γης γρήγορα έγιναν πράξη στα τέλη της δεκαετίας του 1920.

Το 1928, ανατέθηκε στην εταιρεία John Monks-Ulen & Co της Νέας Υόρκης η σχεδίαση και η εκτέλεση των έργων που θα μετέβαλλαν την πεδιάδα των Σερρών ".... από έρημη, ανθυγιεινή περιοχή .... σε δεκάδες χιλιάδες στρέμματα εύφορων χωραφιών ...."

Το σχέδιο επικεντρωνόταν στη δημιουργία ενός τεχνητού ταμιευτήρα στην περιοχή της μικρής λίμνης Κερκίνης που θα δεχόταν και θα συγκρατούσε τις πλημμύρες του Στρυμόνα και θα διευκόλυνε την αποξήρανση της λίμνης του Αχινού και των περιφερικών της τεναγών. Ταυτόχρονα θα γινόταν διευθέτηση και προστασία με αναχώματα της κοίτης του Στρυμόνα ανάντι και κατάντι της Κερκίνης και εκτεταμένα αντιπλημμυρικά και αποστραγγιστικά έργα στο υπόλοιπο λεκανοπέδιο.

Χρησιμοποιώντας τα τελειότερα τεχνικά μέσα της εποχής που συμπεριλάμβαναν εκσκαφείς, τεραστία βαρούλκα, πλωτούς βυθοκόρους, ακόμα και ένα μικρό τραινάκι για τη μεταφορά των χωματισμών, η Monks-Ulen κατάφερε να ολοκληρώσει τα έργα στο εκπληκτικά σύντομο διάστημα των έξι ετών.

Το φράγμα που ανέκοψε τη ροή του ποταμού κατασκευάστηκε κοντά στο χωριό Λιθότοπος και ολοκληρώθηκε το 1932. Ένα ανάχωμα μήκους 7,5 χλμ και ύψους 33 μ πάνω από την επιφάνεια της θάλασσας (+33 μ) σχημάτισε το ανατολικό όριο της μελλοντικής λίμνης.

Στην πράξη η δημιουργία της νέας τεχνητής λίμνης Κερκίνης και η αποξήρανση της λίμνης του Αχινού, μετέφεραν τις υδρολογικές λειτουργίες του λιμνοποτάμιου συστήματος από το νότιο μέρος της λεκάνης στο βόρειο. Ο ταμιευτήρας πλέον απορροφούσε τις πλημμύρες του ποταμού και κατακρατούσε όλα τα φερτά υλικά. Η στάθμη του νερού κυμαινόταν από +25 μ, με αντίστοιχη επιφάνεια της λίμνης 3 χλμ^2 ως το μέγιστο όριο των +32 μ, στο οποίο η λίμνη εκάλυπτε 85 χλμ^2.

Μέσα στις επόμενες δεκαετίες, η μεγάλη εναπόθεση φερτών υλών ελάττωσε την χωρητικότητα του ταμιευτήρα ενώ παρατηρήθηκε αστάθεια στα εδάφη θεμελίωσης του ρουφράκτη Λιθοτόπου και του ανατολικού αναχώματος. Το 1952 το ανάχωμα ανυψώθηκε στα +34 μ και ενισχύθηκαν τα θεμέλια του φράγματος.

Η δραματική μεταβολή του οικοσυστήματος της Κερκίνης λόγω της ανθρώπινης επέμβασης μεταξύ 1930 και 1970, είχε σοβαρές αρνητικές επιπτώσεις στους υγρότοπους και την άγρια ζωή που συντηρούσαν. Ευτυχώς παρέμειναν στην περιφέρεια της λίμνης υπολείμματα των παλαιότερων ενδιαιτημάτων, τα οποία εξελίχθηκαν σε μιά ποικίλα διαφοροποιημένη παράλια ζώνη. Ακόμα, οι σημαντικές εποχιακές διαφορές στη στάθμη και το βάθος του νερού, την έκταση και τη διάρκεια του πλημμυρισμού αλλά και η εισροή θρεπτικών ουσιών και οι συνεχιζόμενες προσχώσεις του ποταμού δημιούργησαν νέα ενδιαιτήματα που επέτρεψαν μιά σημαντική ανάκαμψη της άγριας ζωής.

Στα τέλη της δεκαετίας του 1970 η υδροχαρής βλάστηση στην περιφέρεια της λίμνης κάλυπτε σχεδόν 15.000 στρέμματα. Καλαμώνες και ψαθιά σκέπαζαν μεγάλες εκτάσεις γύρω από την δυτική και βόρεια όχθη.
Οι προσχώσεις του Στρυμόνα είχαν σχηματίσει ένα μεγάλο δέλτα στο σημείο εισροής του στη λίμνη. Τα χαμηλά εδάφη γύρω από την κοίτη του ποταμού, σ' όλη τη διαδρομή ως το δέλτα, καλύπτονταν από ένα τεράστιο παρόχθιο δάσος, αποτελούμενο κυρίως από Αρμυρίκια, Ιτιές, Κλήθρα, Πλατάνια και Λεύκες. Ήταν ένα βλοσυρό μέρος με πελώρια δέντρα, στεφανωμένα από έρποντα κι αναριχητικά φυτά, με μπλεγμένους θάμνους και βαθειές σκιές, αδιαπέραστο σαν ζούγκλα, πλημμυρισμένο ή στεγνό ανάλογα με τις ιδιοτροπίες του ποταμού, και προσέφερε κατοικία σε Βίδρες, Αγριόγατες, Λύκους και Τσακάλια κι αμέτρητα πουλιά.
Τα χλοερά λιβάδια που εκτείνονταν κατά μήκος της δυτικής όχθης και προς τα βορειοανατολικά, πέρ' απ' το δάσος, κατακλύζονταν όταν ανέβαινε η στάθμη του νερού κι εκεί αναπτύσσονταν μεγάλες συγκεντρώσεις από υπερυδτικά και επιπλέοντα φυτά.

Το χειμώνα, η χαμηλή στάθμη του νερού αποκάλυπτε αυτά τα 22.000 στρέμματα των εποχιακά πλημμυρισμένων περιοχών αλλά και αμμούδες και λουρονησίδες και τα μεγάλα λασποτόπια (7.600 στρέμματα) στη δελταϊκή πεδιάδα, όλα ιδανικούς τόπους ξεκούρασης και τροφοληψίας για πολλά είδη παρυδάτιων πουλιών.

Οι ορνιθολογικές πληροφορίες αυτής της περιόδου είναι άφθονες και ακριβέστατες.

Γερμανοί ορνιθολόγοι που κατέγραφαν τους υγρότοπους της Μακεδονίας το 1967, ανέφεραν μεγάλους πληθυσμούς ερωδιών και άλλων υδρόβιων πουλιών που αναπαράγονταν στους καλαμώνες γύρω απ' την Κερκίνη. Εντόπισαν δύο μικρές αποικίες από Λαγγόνες με 10 ζευγάρια - είδος που μέχρι τότε θεωρείτο ότι δεν αναπαραγόταν στην Ελλάδα - 50 ζευγάρια Πορφυροτσικνιάδες, 340 ζευγάρια Λευκοτσικνιάδες που φώλιαζαν σε δένδρα και μέσα στα καλάμια μαζί με 550 ζευγάρια Κρυπτοτσικνιάδες και 220 ζευγάρια Νυχτοκόρακες, 100 ζευγάρια Χουλιαρομύτες που έφτιαχναν τις φωλιές τους σε μεγάλα δένδρα με ύψος πάνω από 10 μέτρα - η μεγαλύτερη τότε αποικία Χουλιαρομύτας στην Ελλάδα - 10 ζευγάρια Χαλκόκοτες, 50 ζευγάρια Μουστακογλάρονα και 40 ζευγάρια Μαυρογλάρονα, άλλο ένα είδος που δεν είχε παρατηρηθεί να φωλιάζει από το 1921.

Με βάση τα ευρήματα αυτών και άλλων ορνιθολόγων απ' όλη την Ευρώπη, οι διεθνείς μη κυβερνητικοί οργανισμοί αναγνώρισαν τη σημασία της λίμνης Κερκίνης και υποστήριξαν δυναμικά την καταχώρησή της στον κατάλογο των υγροτόπων διεθνούς ενδιαφέροντος που θα προστατεύονταν με τη Συνθήκη του Ραμσάρ. Η Ελλάδα επεκύρωσε τη Συνθήκη Ραμσάρ το 1974 και περιέλαβε την περιοχή της Κερκίνης στον Ελληνικό κατάλογο υγρότοπων.

Το 1978 οι Biber και Crivelli ανακάλυψαν μια μεγάλη μικτή αποικία με 851 φωλιές σε μια μικρή νησίδα του Στρυμόνα, σκεπασμένη με καλάμια και πυκνή βλάστηση, σε απόσταση περίπου 4 χλμ από την όχθη της λίμνης.

Δύο χρόνια αργότερα ο Ben Hallmann έγραψε ".... Αν και δεν έχει εξερευνηθεί πλήρως, είναι σίγουρο πως η κοινότητα των πουλιών στη λίμνη συγκεντρώνει έναν πραγματικά μοναδικό πλούτο, και σε ποικιλία και σε ποσότητα ....
Η λίμνη Κερκίνη μπορεί άφοβα να θεωρηθεί ο πλουσιότερος

Lithotopos and was complete in 1932. A 7.5 Km long embankment, built to a height of 33 m above sea level (a.s.l.), formed the eastern boundary of the lake-to-be. In effect, the creation of the new, man-made Lake Kerkini and drainage of Lake Achinos transferred the hydrological functions of the fluviolacustrine system from the southern part of the basin to the northern. The lake now absorbed flood discharges of the river and retained all the suspended material. Water level fluctuated between 25 m a.s.l., with a corresponding surface area of 3 Km^2, and a maximum of 32 m a.s.l., at which level the lake covered 85 Km^2.

In the decades that followed, heavy sedimentation reduced the capacity of the lake, while subsidence threatened both the dam and the eastern dike. In 1952 the dike was raised to 34 m a.s.l. and the dam foundations were strengthened.

The dramatic transformation of the Lake Kerkini ecosystem by human intervention between 1930 and 1970, caused a serious negative impact on the wetlands and the wildlife they supported. Fortunately remnants of previous habitats survived in the periphery of the lake and developed into a varied littoral zone. In addition the significant seasonal variation in water levels, water depth, extend and duration of flooding along with nutrient inflow and continuing sedimentation by the river provided new niches that allowed considerable recovery.

By the late 1970s there were some 1,500 ha of emergent vegetation in the periphery of the lake. Large beds of reeds and rushes formed around the western and northern shores. Siltation had formed an extensive delta at the Strymon estuary. The bottomlands, around the course of the river and the delta, were covered by a great riparian forest consisting mostly of Tamarisks, Willows, Alders, Poplars and Planes. It was a brooding place of huge trees, festooned with creepers and climbing plants, tangled underbrush and dark shadows, impenetrable and jungle-like, wet or dry according to the whims of the river, home to Otters, Wildcats, Wolves and Jackals and countless birds. The grassy meadows extending along the western shore and to the northeast, beyond the forest, were flooded at high water levels and a rich growth of submerged and floating vegetation appeared.

In the winter, low water levels exposed those 2,200 ha of temporarily floodable areas, but also sandbars and islets and the extensive mudflats (760 ha) of the deltaic plane, all ideal roosting and feeding grounds for a variety of shorebirds.

Ornithological data from that period is both more plentiful and much more accurate.

German ornithologists cencusing Macedonian wetlands in 1967 reported large populations of herons and other waterbirds breeding in the reedbeds around Kerkini. They mention two small colonies of Pygmy Cormorants with 10 breeding pairs - a species that until then was considered as not breeding in Greece - 50 pairs of Purple Herons, 340 pairs of Little Egrets breeding in trees and among the reeds, along with 550 pairs of Squacco Herons and 220 pairs of Night Herons, 100 pairs of Spoonbills nesting in trees over 10 m tall - the largest colony in Greece at that time - 10 pairs of Ibises, 50 pairs of Whiskered Terns and 40 pairs of Black Terns, another species first recorded as breeding since 1921.

On the basis of their findings and those of other ornithologists from all over Europe, international NGOs recognised the significance of Lake Kerkini and strongly promoted its inclusion in the list of wetlands of international importance to be protected under the Ramsar Convention. Greece ratified the Ramsar Convention in 1974 and included the Kerkini wetland in the list of areas to be protected.

In 1978 Biber and Crivelli found a large mixed colony with 851 nests on a small island in the Strymon, covered with reeds and dense vegetation, some 4 Km from the lakeshore.

Two years later Ben Hallmann reports ".... Although not fully explored, it is certain that the bird community of the lake has presently attained a virtually unique richness in both diversity and numbers .... Limni Kerkini can be safely regarded as the presently richest wetland in Greece ...." His population estimates are astonishing. Over 700 pairs of Little Egrets, 600 pairs of Squacco Herons, 400 pairs of Night Herons, 70 pairs of Purple Herons, 120 pairs of Spoonbills, 150 pairs of Ibises, 200 pairs of Pygmy Cormorants, 240 pairs of Little Grebes and 50-100 pairs of Ferruginous Ducks were recorded - the largest populations of these species in the country.

At that time Kerkini was also the second important nesting place in Greece for Great Crested Grebes (120 pairs), Greylag Geese (20 pairs) and Whiskered Terns (90 pairs) and supported significant populations of Black-winged Stilts (60 pairs), Pratincoles (140 pairs) and White Storks (over 200 pairs nesting in the neighbouring villages).

Raptor numbers had been greatly reduced by then, but Black Kites, White-tailed, Lesser Spotted, and Golden Eagles had been found nesting and there were observations of Imperial, Short-toed, Bonelli's and Booted Eagles in the vicinity of the lake.

During the 1970s the lake all but dried-up in the winter, leaving a few pools and the river bed. The exposed mudflats and shallows of the deltaic plane served as vital staging or overwintering areas for countless migrating birds. Wintering waterfowl populations often exceeded 70,000 birds, mostly Mallards and Teal, including several thousand Geese, mostly White-fronted and Greylags. Kerkini was then the most important wintering site in Greece for Black-tailed Godwits, with a mean of over 3,000 individuals that shared their feeding grounds with thousands of Dunlins and Avocets. Up to 600 Dalmatian Pelicans remained in the area along with a few thousand Cormorants and several hundred Great White Egrets.

The reservoir had proved unable to cope with the disastrous floods that struck the Serres plain in 1955, 1957 and again in 1962 and 1963. By the mid 1970s estimates showed that siltation had reduced its capacity by almost 50% since1952. At the same time water demands for irrigation increased drastically as the cultivated lands "exploded" from 6,000 ha in 1950 to 58,000 ha by 1980. State planners started formulating a second set of works, designed to increase the lake's capacity.

At that time, the world-wide trend was to exploit natural resources to the maximum, with little or no concern for future consequences. There was little thought spared for the possible impact of proposed changes on the habitat functions and wildlife of Kerkini, since the only goal was to meet the irrigation demands and achieve better flood control.

The new, larger and higher dam at Lithotopos was built some 400 m to the west of the old one and was inaugurated in

υγρότοπος στην Ελλάδα σήμερα ...." Τα στοιχεία που παραθέτει για τους πληθυσμούς είναι εκπληκτικά. Αναφέρει ότι υπήρχαν περισσότερα από 700 ζευγάρια Λευκοτσικνιάδες, 600 ζευγάρια Κρυπτοτσικνιάδες, 400 ζευγάρια Νυχτοκόρακες, 70 ζευγάρια Πορφυροτσικνιάδες, 120 ζευγάρια Χουλιαρομύτες, 150 ζευγάρια Χαλκόκοτες, 200 ζευγάρια Λαγγόνες, 240 ζευγάρια Νανοβουτηχτάρια και 50-100 ζευγάρια Βαλτόπαπιες· οι μεγαλύτεροι πληθυσμοί αυτών των ειδών στη χώρα. Η Κερκίνη ήταν επίσης η δεύτερη σπουδαιότερη περιοχή φωλιάσματος στην Ελλάδα για τα Σκουφοβουτηχτάρια (120 ζευγάρια), τις Σταχτόχηνες (20 ζευγάρια) και τα Μουστακογλάρονα (90 ζευγάρια) και συντηρούσε σημαντικούς πληθυσμούς Καλαμοκανάδων (60 ζευγάρια), Νεροχελίδονων (140 ζευγάρια) και Πελαργών (πάνω από 200 ζευγάρια φώλιαζαν στα γειτονικά της λίμνης χωριά).

Την εποχή εκείνη, οι αριθμοί των αρπακτικών πουλιών είχαν πλέον μειωθεί σημαντικά, βρέθηκαν όμως να φωλιάζουν Τσίφτηδες, Κραυγαετοί, Θαλασσαετοί και Χρυσαετοί, και είχαν παρατηρηθεί Βασιλαετοί, Φιδαετοί, Σπιζαετοί και Σταυραετοί γύρω από τη λίμνη.

Κατά τη δεκαετία του 1970, η λίμνη ουσιαστικά στέγνωνε το χειμώνα, εκτός από λίγους νερόλακους και την κοίτη του ποταμού. Τα λασποτόπια και οι ρηχές περιοχές που αποκαλύπτονταν, ήταν ζωτικά σημεία ανάπαυσης και ξεχειμωνιάσματος για αναρίθμητα μεταναστευτικά πουλιά. Οι χειμωνιάτικοι πληθυσμοί χηνοπαπιών συχνά ξεπερνούσαν τις 70.000 άτομα, κυρίως Πρασινοκέφαλες πάπιες και Σαρσέλες, μαζί με μερικές χιλιάδες Ασπρομετωπόχηνες και Σταχτόχηνες. Η Κερκίνη αποτελούσε τότε τη σπουδαιότερη περιοχή ξεχειμωνιάσματος στην Ελλάδα για τις Λιμόζες, με μέσο όρο 3.000 άτομα, που μοιράζονταν τα βοσκοτόπια τους με χιλιάδες Λασποσκαλίδρες και Αβοκέτες. Πάνω από 600 Αργυροπελεκάνοι παρέμεναν εκεί μαζί με λίγες χιλιάδες Κορμοράνους και μερικές εκατοντάδες Αργυροτσικνιάδες.

Ο ταμιευτήρας αποδείχτηκε ανεπαρκής γιά ν' αντιμετωπίσει τις πλημμύρες που χτύπησαν την πεδιάδα των Σερρών το 1955, το 1957 και ξανά το 1962 και 1963. Στα μέσα της δεκαετίας του 1970 υπολογίστηκε πως η χωρητικότητά του είχε μειωθεί σχεδόν κατά 50 % από το 1952. Ταυτόχρονα οι ανάγκες νερού για άρδευση αυξήθηκαν υπερβολικά, καθώς οι καλλιεργούμενες εκτάσεις εκτινάχτηκαν από 60.000 στρέμματα το 1950, σε 580.000 στρέμματα το 1980. Οι αρμόδιες τεχνικές υπηρεσίες εκπόνησαν μια δεύτερη σειρά έργων, σχεδιασμένων για να μεγαλώσουν την χωρητικότητα της λίμνης.

Εκείνη την εποχή, η διεθνής τάση ήταν η εκμετάλλευση των φυσικών πόρων στο έπακρο, χωρίς καμμία ή με ελάχιστη πρόβλεψη για τις μελλοντικές συνέπειες. Οι πιθανές επιδράσεις των προτεινόμενων αλλαγών πάνω στις λειτουργίες των οικοτόπων και πάνω στην άγρια ζωή δεν μελετήθηκαν σχεδόν καθόλου, μια και οι μοναδικοί στόχοι ήταν η εξυπηρέτηση των αρδευτικών αναγκών και ο καλύτερος έλεγχος των πλημμυρών.

Το νέο, μεγαλύτερο και ψηλότερο φράγμα στον Λιθότοπο χτίστηκε περίπου 400 μέτρα δυτικά του παλαιού και εγκαινιάστηκε το 1982. Το ανατολικό ανάχωμα ανυψώθηκε

στο επίπεδο των +39 μ και άλλο ένα ανάχωμα με το ίδιο ύψος κατασκευάστηκε για να σχηματίσει το δυτικό όριο της λίμνης, κοντά στο χωριό Κερκίνη. Η κοίτη του Στρυμόνα, από τη γέφυρα του Σιδηρόκαστρου ως τη λίμνη, εκτράπηκε σε νέο τεχνητό κανάλι, προστατευμένο από αναχώματα.

Η εκτέλεση των νέων έργων προκάλεσε μεγάλες καταστροφές στους οικότοπους, κυρίως ανάντι της λίμνης, εξ αιτίας των μετατοπίσεων της κοίτης του ποταμού, της κατασκευής αναχωμάτων και της αποστράγγισης εδαφών. Τα υγρολίβαδα αποξηράνθηκαν και το πολύτιμο δάσος εξολοθρεύτηκε για να μετατραπεί σε χωράφια. Τ' αξιολύπητα απομεινάρια του γύρω από το δέλτα του Στρυμόνα καλύπτουν μόνο λίγες χιλιάδες στρέμματα. Οι μεγάλες αποικίες από Χουλιαρομύτες και Χαλκόκοτες στα αρχαία, πανύψηλα δένδρα κοντά στο Μανδράκι καταστράφηκαν και αυτές στην πορεία των έργων και τα πουλιά αναγκάστηκαν να μετακινηθούν, αφού τα δένδρα που φώλιαζαν αφανίστηκαν.

Με την αποπεράτωση του φράγματος και την ανύψωση των αναχωμάτων, η ελάχιστη και η μέγιστη ετήσια στάθμη του νερού αυξήθηκαν σταδιακά μέσα σε λίγα χρόνια. Η ελάχιστη στάθμη έφτασε τα +31,5 μ όπου και σταθεροποιήθηκε. Η μέγιστη όμως στάθμη συνέχισε να ανεβαίνει καθώς αυξάνονταν οι καλλιεργούμενες εκτάσεις. Αν και φάνηκε σταθερή γύρω στα +35 μ για λίγα χρόνια, μέχρι το 1990 είχε φτάσει τα +35,6 μ και το 1991 άγγιξε τα +36 μ για πρώτη φορά. Έκτοτε η μέγιστη ετήσια στάθμη της λίμνης κυμαινόταν γύρω από τα + 36 μ για να υψωθεί ξαφνικά σ' ένα πρωτοφανές +36,4 μ το 1995, με καταστροφικές συνέπειες για τα πουλιά και την επιπλέουσα βλάστηση.

Πρακτικά, το βάθος και η διάρκεια του πλημμυρισμού αυξήθηκαν και η ετήσια διαφορά μεταξύ μέγιστης και ελάχιστης στάθμης ξεπερνά πλέον τα 5 μέτρα. Όλα τα εδάφη μέχρι το υψόμετρο των +31,5 μ παραμένουν μόνιμα σκεπασμένα από το νερό μετά το 1986. Τα εδάφη πάνω από τα +33 μ, που δεν πλημμύριζαν ποτέ πριν το 1982, τώρα καλύπτονται για περισσότερους από πέντε μήνες κάθε χρόνο. Ακόμα η έκταση των ρηχών νερών τον χειμώνα αυξήθηκε από 21.000 σε 28.000 στρέμματα, μια και τα λασποτόπια του δέλτα είναι τώρα μονίμως κατακλυσμένα (η αύξηση αυτή δεν ωφέλησε τα χηνόπαπια και τα παρυδάτια πουλιά μια και οι νέες ρηχές περιοχές βρίσκονταν κυρίως μέσα στο δάσος). Οι καλοκαιρινές ρηχές περιοχές ελαττώθηκαν από 24.000 σε λιγότερα από 6.000 στρέμματα. Μετά το 1991, όταν το νερό φτάνει στο μέγιστο του επίπεδο, πλημμυρίζει ξανά μερικές

1982. The eastern dike was raised to a level of 39 m a.s.l. and another dike was constructed to the same height, forming the western boundary of the lake near the village of Kerkini. The course of the Strymon from the bridge of Sidirokastro to the lake was diverted into a new, artificial channel, protected by dikes.

Construction of the new works resulted in large scale damage to the habitats, mostly upstream of the lake, from several displacements of the river bed, diking and land reclamation. Wet meadows were drained and the precious forest was obliterated, converted into fields. The pitiful remnants left standing around the Strymon delta covered only some hundred hectares. The large colonies of Spoonbills and Ibises on the ancient, mighty trees near Mandraki were destroyed in the process, the birds forced away as their nesting areas were ravaged.

Upon completion of the dam and the elevation of the dikes the mean and extreme water levels gradually increased over a period of few years. The minimum level increased up to 31.5 m a.s.l. and stabilised. The maximum level on the other hand, kept creeping upwards, as the cultivated acreage in the plain increased. Even though it seemed to be stable around 35 m a.s.l. for a few years, by 1990 it had reached 35.6 m a.s.l. In 1991 the water rose to 36 m a.s.l. for the first time. Since then maximum levels have oscillated around 36 m a.s.l., only to jump to an unprecedented 36.4 m in 1995, with disastrous consequences for birds and floating-leaved vegetation.

In practical terms, depth and duration of flooding increased and the annual water level range now exceeds 5 m. All land up to the altitude of 31.5 m a.s.l. has been permanently flooded since 1986. Land lying above 33 m a.s.l. that was ever flooded before 1982, now remains submerged for more than 5 months every year. Furthermore, the area of shallow water in the winter has increased from 2,100 to over 2,800 ha, as the former mudflats are now permanently under water (this increace has not benefited waterfowl and waders as the new shallow areas lie mostly within the forest). During the summer, shallow areas have been reduced from 2,400 to less than 600 ha. After 1991 the water at peak level floods some of the reclaimed fields around the former course of the Strymon.

Those radical changes in habitats, caused by the new hydrological regime, severely impacted plant and animal communities.

At present Lake Kerkini is roughly pear shaped with its apex at the dam near Lithotopos. It is approximately 15 Km long and its maximum width, when full, reaches 8.5 Km. A rather deep (5 to 10 m), permanent pelagic zone occupies the southern part, while the northern part, including the Strymon delta, is seasonally flooded. The geographic co-ordinates for the centre of the lake are 41°2N, 23°09E.

Each year, as the water is used to irrigate crops and the flow of the Strymon is reduced, its level falls to a minimum in late summer or fall. The physiognomy of the lake changes completely as the whole of the delta area is exposed. It is indeed very strange to be able to walk among the bare trees of the forest, seeing last years nests high up in the branches and knowing that, come spring, only the very tops of the trees will be visible, approachable solely by boat. In recent years siltation is beginning to re-establish an area of mudflats around the mouth of the river that are exposed at low levels. In late fall of 1994 it was possible to drive a vehicle well beyond the last trees of the forest on solid ground.

During the winter the gates at the dam remain open and the river merely flows through the reservoir. At that time water is present only in the pelagic zone. The gates are usually closed some time in February and the water gradually rises until it reaches its maximum level, between late May and June. It has been estimated that the water is completely renewed 13 times each year.

It is clear that the hydrological functions of Lake Kerkini changed considerably after the completion of the new works. Until 1982 the wetland assumed the functions of a fluvial system with its floodplain during the winter, and those of a lacustrine system in summer and fall. After 1982, the wetland functions as a lacustrine system more or less throughout the year, since the pelagic zone retains deep water during the winter.

The surface area and capacity of the reservoir respectively range from 51.5Km^2 and 90 million m^3 for a minimum of 31.5 m a.s.l., to 74.4 Km^2 and 411 million m^3 for a maximum of 36.5 m a.s.l. .

The water is turbid and has a high alkalinity (pH 9 at the surface and 7.5 at the bottom). Because of the high concentration of phyto- and zooplankton and water "blooming" during the summer months, the lake is considered eutrophic. However, this happens only when the water level is low, the gates are still closed and water flow from the Strymon is minimal The continuous renewal of the water probably prevents the establishment of permanent eutrophic conditions

από τις αποστραγγισμένες περιοχές με χωράφια γύρω από την παλιά κοίτη του Στρυμόνα.

Αυτές οι ριζικές αλλαγές στα ενδιαιτήματα που προκλήθηκαν από το νέο υδρολογικό καθεστώς είχαν σοβαρές αρνητικές επιπτώσεις στις κοινωνίες των φυτών και των ζώων.

Σήμερα η λίμνη Κερκίνη έχει χονδρικά σχήμα αχλαδιού με την κορυφή στο φράγμα κοντά στον Λιθότοπο. Έχει περίπου 15 χλμ. μήκος και το μέγιστο πλάτος της, όταν είναι γεμάτη, φτάνει τα 8,5 χλμ. Μιά μάλλον βαθειά πελαγική ζώνη (με βάθος νερού 5-10 μέτρα) καταλαμβάνει το νότιο μέρος της, ενώ το βόρειο - που περιλαμβάνει το δέλτα του Στρυμόνα - πλημμυρίζει εποχιακά. Οι γεωγραφικές συντεταγμένες του κέντρου της λίμνης είναι 41°2Β, 23°09Α.

Κάθε χρόνο, καθώς το νερό χρησιμοποιείται για την άρδευση των σπαρτών και η ροή του Στρυμόνα μειώνεται, η στάθμη του ταμιευτήρα πέφτει στο ελάχιστο όριο προς το τέλος του καλοκαιριού ή το φθινόπωρο. Η φυσιογνωμία της λίμνης αλλάζει εντελώς καθώς όλη η περιοχή του δέλτα αποκαλύπτεται. Είναι πραγματικά πολύ παράξενο να μπορεί κανείς να περπατά ανάμεσα στα γυμνά δέντρα του δάσους βλέποντας τις περσινές φωλιές ψηλά στα κλαδιά, γνωρίζοντας πως όταν φτάσει η άνοιξη, μονάχα οι ψηλότερες κορυφές τους θα είναι ορατές και θα πλησιάζονται μόνο με βάρκα. Τα τελευταία χρόνια οι προσχώσεις δημιουργούν και πάλι λασπότοπους στην περιοχή γύρω απ' το στόμιο του ποταμού, που παραμένουν έξω από το νερό όταν η στάθμη βρίσκεται στα χαμηλότερα επίπεδα. Στα τέλη του φθινόπωρου του 1994 μπορούσε κανείς να φτάσει με αυτοκίνητο αρκετά πιο πέρα από τα τελευταία δέντρα του δάσους, σε στερεό έδαφος.

Στη διάρκεια του χειμώνα οι θύρες του φράγματος μένουν ανοιχτές κι ο ποταμός απλώς περνά μεσ' απ' τον ταμιευτήρα. Τότε υπάρχει νερό μόνο στην πελαγική ζώνη. Οι θύρες συνήθως κλείνουν τον Φεβρουάριο και το νερό ανεβαίνει σταδιακά, μέχρι που φτάνει το μέγιστο επίπεδό του στα τέλη Μαΐου - αρχές Ιουνίου. Έχει υπολογιστεί ότι το νερό ανανεώνεται ολοκληρωτικά 13 φορές το χρόνο.

Είναι φανερό ότι οι υδρολογικές λειτουργίες της λίμνης Κερκίνης άλλαξαν σε μεγάλο βαθμό μετά την ολοκλήρωση των νέων εργασιών. Μέχρι το 1982, ο υγρότοπος τον χειμώνα λειτουργούσε σαν ποτάμιο σύστημα με πεδίο πλημμυρών, ενώ το καλοκαίρι και το φθινόπωρο λειτουργούσε σαν λιμναίο σύστημα. Μετά το 1982, ο υγρότοπος λειτουργεί σαν λιμναίο σύστημα σχεδόν όλο το χρόνο, αφού η πελαγική ζώνη διατηρεί βαθύ νερό και το χειμώνα.

Η έκταση της επιφάνειας και η χωρητικότητα της λίμνης κυμαίνονται περίπου από 51,5 χλμ^2 και 90 εκατομμύρια μ^3 αντίστοιχα, για την ελάχιστη στάθμη των +31,5 μέτρων, μέχρι 74,4 χλμ^2 και 411 εκατομμύρια μ^3 για τη μέγιστη στάθμη των +36,5 μέτρων.

Το νερό είναι θολό και πολύ αλκαλικό (pH 9 στην επιφάνεια και 7,5 στο βυθό). Εξ αιτίας της μεγάλης συγκεντρώσεως ζωικού και φυτικού πλαγκτόν και του "ανθίσματος" του νερού το καλοκαίρι, η λίμνη θεωρείται ευτροφική. Τα φαινόμενα αυτά παρουσιάζονται μόνο όταν το επίπεδο του νερού είναι χαμηλό, οι θύρες του ρουφράκτη παραμένουν κλειστές και η ροή στο Στρυμόνα ελάχιστη. Πιθανότατα, η συνεχής ανανέωση του νερού εμποδίζει τη δημιουργία μονίμων ευτροφικών συνθηκών, οι οποίες θα επιδρούσαν αρνητικά στην άγρια ζωή.

Το νότιο όριο της λίμνης αφορίζουν οι πρόποδες του όρους Μαυροβουνίου (1.179 μ). Οι ντόπιοι συνήθως αναφέρονται στο Μαυροβούνι και τη συνέχειά του δυτικά, το όρος Δύσορο, με το παλιό Βουλγαρικό τους όνομα - Κρούσια. Προς βορρά, μια στενή λωρίδα καλλιεργημένης γης και χαμηλών λόφων χωρίζει το νερό από τα δασωμένα υψώματα της οροσειράς Κερκίνης, που πυργώνεται ως τα 2.031 μ. Κι αυτή είναι γνωστότερη στην περιοχή με το Βουλγαρικό της όνομα, σαν όρος Μπέλες. Η στενωπός του Ρούπελ χωρίζει το όρος Κερκίνη από τα όρη Άγγιστρο και Όρβηλο, των οποίων οι πρόποδες αποτελούν το βορειοανατολικό όριο του λεκανοπεδίου του Στρυμόνα. Ανατολικά, το έδαφος χαμηλώνει με μαλακούς κυματισμούς και ενώνεται με τα χωράφια της πεδιάδας των Σερρών.

Ο Στρυμόνας, κυριότερος τροφοδότης της λίμνης, πηγάζει απ'τα υψίπεδα του Βουλγαρικού όρους Βιτόσα, το οποίο οι αρχαίοι ιστορικοί κάποτε ονόμαζαν Σκόμβρο. Ο ποταμός έχει τεράστια λεκάνη απορροής (17.250 χλμ^2), το 63% της οποίας βρίσκεται στη Βουλγαρία και την πρώην Γιουγκοσλαβία. Το μεγαλύτερο μέρος του Ελληνικού τμήματος της λεκάνης απορροής (6.355 χλμ^2) εντοπίζεται στην ορεινή ζώνη. Περιλαμβάνει τις νότια προσανατολισμένες πλαγιές του όρους Κερκίνη, τις βορειοανατολικά προσανατολισμένες πλαγιές της οροσειράς των Κρουσίων, και τις δυτικά προσανατολισμένες πλαγιές του όρους Όρβηλος.

Το συνολικό μήκος του Στρυμόνα είναι 410 χιλιόμετρα, από τα οποία 120 βρίσκονται στην Ελληνική επικράτεια, κι 77 απ'αυτά κατάντι της λίμνης Κερκίνης. Ο ποταμός περνά στο Ελληνικό έδαφος στον Προμαχώνα, όπου η συμβολή του με τον χείμαρρο Άγγιστρο σχηματίζει τα σύνορα των δύο χωρών.

Στα πρώτα 8,5 χιλιόμετρα τα νερά του κυλούν μεσ' απ' τη στενωπό του Ρούπελ. Σ' αυτό το σημείο η κοίτη του ποταμού δεν έχει επηρεαστεί από τα αντιπλημμυρικά έργα. Η φυσική, πλεξοειδής κοίτη του Στρυμόνα κυμαίνεται σε πλάτος από 80 έως 300 μέτρα και είναι γεμάτη με πολλές, μεγάλες νησίδες και πλευρικά φράγματα σχηματισμένα από φερτές ύλες. Αρκετοί χείμαρροι κατηφορίζουν απ' τις απότομες λοφοπλαγιές κι ενώνονται με το ποτάμι. Λωρίδες παρόχθιου δάσους - που διατηρούνται ακόμα εκεί επειδή η περιοχή βρισκεται υπό στρατιωτικό έλεγχο - στεφανώνουν τις όχθες και οι περισσότερες μεγάλες νησίδες είναι σκεπασμένες από βλάστηση.

Μετά τη γέφυρα του Σιδηρόκαστρου ο ποταμός κυλάει στο τεχνητό κανάλι, που είναι περισσότερο γνωστό σαν "κοίτη της Βυρώνειας". Έχει μήκος περίπου 16 χιλιόμετρα, πλάτος 165 μέτρα και πλευρικά προστατεύεται από φαρδειές όχθες, οριοθετημένες από ψηλά αναχώματα. Κατά μήκος της τεχνητής κοίτης υπάρχουν λιγότερες και μικρότερες νησίδες, όμως η άμμος που κατεβάζει το ρεύμα δημιουργεί πολλές μικρές και μεγάλες θίνες και ρηχτιδώσεις στο βυθό.

Η μέση μηνιαία παροχή του ποταμού ανάντι της Κερκίνης κυμαινόταν από 16 μ^3 ανά δευτερόλεπτο μέχρι 400 μ^3 ανά δευτερόλεπτο, μεταξύ 1929 και 1962, και από 15 μ^3

that would be damaging to the wildlife.

To the south, the lake is bound by the foothills of the Mavrovouni mountain (1,179 m). Local people usually refer to Mavrovouni and its continuation to the west, Mount Dysoron, by their old Bulgarian name - Krousia. To the north, a narrow strip of cultivated land and low hills separates the waters from the wooded ramparts of the Kerkini range, towering to 2,031 m. Mount Kerkini is also better known by the Bulgarian name Beles. The ravine of Ruppel separates mountain Kerkini from mountains Aggistron and Orvilos, the foothills of which form the northeastern boundary of the Strymon basin. To the east, low, gently undulating terrain merges with the flat lands of the Serres plain.

The Strymon river, the main contributor to the lake, has its source high in the Bulgarian Vitosa mountain, which ancient historians once named Skomvros. The river has an extensive drainage basin (17,152 Km^2), 63% of which lies in Bulgaria and former Yugoslavia. Most of the total area of the Greek watershed (6,355 Km^2) is located in the mountainous zone. It includes the south-facing slopes of the Kerkini mountain, the northeast-facing slopes of the Krousia range and the west-facing slopes of the Orvilos mountain.

The total length of the Strymon is 410 Km, of which 120 lie within Greek territory, 77 being downstream of Lake Kerkini. It enters Greek soil at Promachon, where its confluence with the stream Aggistro (Bistritsa) forms the boundary between the two countries.

For the first 8. 5 Km, its waters flow through the Ruppel ravine, where the riverbed has not been affected by the flood control works. The natural, braided bed ranges in width between 80-300 m and is dotted with many large islands and lateral barriers. Several torrents merge with the river, flowing down from the steep hillsides. Strips of riparian forest - which has survived because the area is under military control - line the banks and most of the larger islands are covered with vegetation.

Past the bridge of Sidirokastro the river flows into the man-made channel, mostly known as the Vironia bed. It is almost 16 Km long, 165 m wide and high embankments surround it on both sides. There are fewer, smaller islands in this part of the river bed but transported sand forms many small and large dunes on the bottom.

The mean monthly discharge upstream of Kerkini varied from 16 m^3/s to 400 m^3/s between 1929 and 1962 and from 15 m^3/s to 467 m^3/s between 1982 and 1988. Peak flood discharge can reach 3,000 m^3/s. An estimated 2.2-2.6 billion m^3 of water flow into Lake Kerkini each year. The quantity of sediments carried by the river into the lake was estimated at 5 million m^3/year until 1962 but is currently down to 1.0-1.2 million m^3/year. This significant reduction is due to the establishment of natural functions of the lacustrine system and, to a minor degree, to stabilisation works, carried out in the mountain slopes of the Bulgarian part of the watershed. At the present rate, sedimentation reduces the reservoir capacity by 0.9-1.0 million m^3 every year. Almost all transported material is deposited at the inflow of the river into the lake, constantly changing bottom morphology and advancing the birdfoot delta towards the south shore.

Besides the Strymon, the lake receives water from several small torrents, flowing down the slopes of Kerkini and Krousia during the winter and spring months, and from the torrent Kerkinitis. The latter enters the lake at its westernmost point and drains the northwestern slopes of Mavrovouni, Dysoron and a small part of the southwestern slopes of the Mount Kerkini. It is 11.5 km long and its maximum discharge is estimated at 81 m^3/s.

The climate of the region is intermediate between mediterranean and continental, with warm summers and cold winters. The maximum difference between mean monthly temperatures, between seasons, is greater than 20°C. The warmest period (May-June) is also the driest one. Precipitation during the year is not large, ranging from 300-500 mm. Mean precipitation around Lake Kerkin is 463.5 mm, in Iraklia 534.2 mm and in Ano Poroia, high on the slopes of Kerkini mountain, it reaches 961.9 mm. Rainfall over the lake is mostly intense and of short duration. Sudden squalls are quite common and most of the fishermen have stories to tell about the abrupt

ανά δευτερόλεπτο μέχρι 467 $μ^3$ ανά δευτερόλεπτο μεταξύ 1982 και 1988. Η μέγιστη πλημμυρική παροχή μπορεί να φτάσει τα 3.000 $μ^3$ ανά δευτερόλεπτο. Υπολογίζεται ότι 2,2-2,6 δισεκατομμύρια $μ^3$ νερού μπαίνουν στην Κερκίνη κάθε χρόνο.

Η ποσότητα των φερτών υλών που μεταφερόταν από τον ποταμό στη λίμνη υπολογιζόταν σε 5 εκατομμύρια $μ^3$ ετησίως μέχρι το 1962, όμως έχει μειωθεί έκτοτε σε 1,0-1,2 εκατομμύρια $μ^3$ ετησίως. Αυτή η σημαντική ελάττωση οφείλεται στην εξισορρόπηση των φυσικών λειτουργιών του λιμναίου συστήματος και, σε μικρότερο βαθμό, στα έργα σταθεροποίησης των εδαφών που έγιναν στίς βουνοπλαγιές του Βουλγαρικού τμήματος της λεκάνης απορροής. Με πρόσφατους υπολογισμούς, η εναπόθεση πυθμένιων υλών ελαττώνει τη χωρητικότητα του ταμιευτήρα κατά 0,9-1,0 εκατομμύρια $μ^3$ κάθε χρόνο. Σχεδόν όλες οι φερτές ύλες εναποτίθενται στο σημείο εισροής του ποταμού στη λίμνη, προκαλώντας μόνιμες αλλαγές στη μορφολογία του βυθού και προεκτείνοντας το δέλτα - που έχει το σχήμα “πέλματος πτηνού” - προς τη νότια όχθη.

Εκτός από το Στρυμόνα, η λίμνη δέχεται νερό από μερικούς μικρούς χείμαρρους που κατηφορίζουν από την Κερκίνη κι απ' το Μαυροβούνι τους χειμερινούς και ανοιξιάτικους μήνες, και από το χείμαρρο Κερκινίτη. Ο τελευταίος εισρέει στη λίμνη στο δυτικότερο σημείο της και συγκεντρώνει νερά από τις βορειοδυτικές πλαγιές του Μαυροβουνίου και το Δύσορο κι ένα μικρό μέρος των νοτιοδυτικών πλαγιών του όρους Κερκίνη. Εχει μήκος 11,5 χιλιόμετρα και η μέγιστη παροχή του υπολογίζεται σε 81 $μ^3$ ανά δευτερόλεπτο.

Το κλίμα της περιοχής είναι ενδιάμεσο μεταξύ μεσογειακού και ηπειρωτικού, με ζεστά καλοκαίρια και κρύους χειμώνες. Η μέγιστη διαφορά των μέσων μηνιαίων θερμοκρασιών μεταξύ εποχών ξεπερνά τους 20° Κελσίου. Η θερμότερη περίοδος (Μάιος - Ιούνιος) είναι και ξηρότερη. Το ύψος βροχής κατά τη διάρκεια του έτους είναι μικρό, από 300 ώς 500 χιλιοστά. Το μέσο ύψος βροχής κοντά στην Κερκίνη φτάνει τα 463,5 χιλιοστά, στην Ηράκλεια τα 534,2 χιλιοστά και στα Άνω Πορόια, ψηλά στις πλαγιές του όρους Κερκίνη, φτάνει τα 961,9 χιλιοστά. Οι βροχοπτώσεις πάνω από τη λίμνη είναι συνήθως ραγδαίες και σύντομες. Οι ξαφνικές καταιγίδες είναι συχνές κι οι πιο πολλοί ψαράδες έχουν να λένε για τις απότομες αλλαγές του καιρού και την προδοτική συμπεριφορά της λίμνης. Πάχνη και ομίχλη πέφτουν συχνά στην περιοχή από τον Οκτώβριο ώς το Μάρτιο, τυλίγοντας τα πάντα σ'ένα χλωμό κουκούλι.

Κατά μέσο όρο παρατηρούνται 48 ημέρες παγετού ετησίως, από το Νοέμβριο ώς το Μάρτιο. Χιόνι πέφτει κυρίως τον Ιανουάριο και το Φεβρουάριο, το δε ύψος του μπορεί να φτάσει τα 40 εκατοστά. Κατά τη διάρκεια παρατεταμένων ψυχρών μετώπων με συνεχείς χαμηλές θερμοκρασίες, οι άκρες, η ακόμα και ολόκληρη η λίμνη πιθανόν να παγώσουν, όπως τον Ιανουάριο του 1992, οπότε τα περισσότερα πουλιά αναγκάστηκαν να μετακινηθούν.

Το λυώσιμο του χιονιού και οι καθυστερημένες χιονοπτώσεις καθορίζουν την παροχή του Στρυμόνα και των χειμάρρων στα γύρω βουνά, κι ευθύνονται συνήθως για τις ξαφνικές ανοιξιάτικες πλημμύρες.

Διοικητικά, η λίμνη και η ευρύτερη περιοχή της ανήκουν στην επαρχία Σιντικής του νομού Σερρών, ενώ μια μικρή περιοχή στα νοτιοανατολικά ανήκει στην επαρχία Σερρών. Είκοσι ένα χωριά βρίσκονται σε απόσταση μικρότερη των 10 χιλιομέτρων από τις όχθες της λίμνης. Τα κοντινότερα είναι ο Λιθότοπος στα νότια, τα Χρυσοχώραφα, το Λιμνοχώρι και το Μεγαλοχώρι στα ανατολικά, η Κερκίνη και η Λιβαδιά δυτικά και το Νεοχώρι, το Μανδράκι, το Θρακικό, το Ομαλό, το Ακριτοχώρι και η Βυρώνεια κατά μήκος της βόρειας όχθης. Η απόσταση του φράγματος από τη Θεσσαλονίκη είναι 80 χιλιόμετρα, από τις Σέρρες 35 χιλιόμετρα και από το Αιγαίο πέλαγος 75 χιλιόμετρα.

Η γεωργία και η κτηνοτροφία είναι οι κύριες πηγές εσόδων για τα περισσότερα χωριά της λίμνης. Το 1984, ο μέσος όρος του ακαθάριστου εισοδήματος κατά κεφαλή, στην περιοχή της Κερκίνης, ήταν 400.000 δραχμές. Καλλιεργούνται κυρίως τριφύλλι, καλαμπόκι, σιτάρι, καπνός και λαχανικά. Το 1987 εκτρέφονταν περίπου 10.000 γελάδια και 17.000 αιγοπροβάτα από τους κατοίκους των δέκα κοντινότερων στη λίμνη χωριών.

Υπάρχουν ακόμα και δύο κοπάδια βουβαλιών που αριθμούν περίπου 500 ζώα. Τα βουβάλια βόσκουν ελεύθερα, κυρίως στα υγρολίβαδα, στίς όχθες του ποταμού γύρω απ' την τεχνητή κοίτη, και το χειμώνα στο δάσος. Αυτά τα μεγαλοπρεπή ζώα είναι ό,τι έχει απομείνει από τα μεγάλα κοπάδια που ήταν συνηθισμένο θέαμα σε πολλούς Ελληνικούς υγρότοπους, μόλις λίγες δεκαετίες πρίν.

Οι χαρακτηριστικές λιμνίσιες πλάβες, οι στενόμακρες ψαρόβαρκες με την επίπεδη γάστρα, κυκλοφορούν στη λίμνη όλο το χρόνο, εκτός από μιά περίοδο 40 ημερών, “κλειστή” για το ψάρεμα, από τις αρχές Απριλίου ώς τα μέσα Μαΐου.

weather changes and the treacherous moods of the lake. Mist and fog are fairly common around the lake from late October to early March, shrouding everything in a pale cocoon.

Freezing temperatures occur from November till March, on an average of 48 days per year. Snowfall occurs mostly in January and February and may reach 40 cm. During severe cold weather fronts with prolonged low temperatures, the lake may freeze partially, or even completely, as it did in January 1992, forcing most of the birds to move elsewhere.

Late snowfall and melting snow determine the discharge of the Strymon and the torrents on the surrounding mountains, and are mostly responsible for unexpected spring floods.

Administratively the lake and its wider area belong to the province of Sindiki of the Serres perfecture, with a small area to the southeast belonging to the Serres province. Twenty one villages are situated within 10 Km from the lake shores. The closest ones are Lithotopos to the south, Chrysochorafa, Limnochori and Megalochori to the east, Kerkini and Livadia to the west and Neochori, Mandraki, Thrakiko, Omalo, Akritochori and Vironia along the northern shore. The distance from the dam to Thessaloniki is 80 Km, to the city of Serres 35 Km, and to the Aegean sea 75 Km.

Farming and livestock rearing are the main sources of income for most of the villages in the vicinity of the lake. In 1984, the average gross income per person for the Kerkini area was 400,000 drachmas. Main crops are alfalfa, maize, wheat, tobacco and vegetables. In 1987 the inhabitants of the ten village closest to the lake owned some 10,000 cattle and 17,000 sheep and goats.

In addition, two herds of buffaloes also exist, numbering close to 500 animals. The buffaloes graze freely, mostly in the wet meadows, on the river banks around the artificial bed, and in the forest area during the winter. Those magnificent animals are relics of the once large herds that were commonplace in many Greek wetlands, until just a few decades ago.

The distinctive long, flat-bottomed fishing boats ply the surface of the lake year round with the exception of a 40-day closed season, from the beginning of April to mid May. Lake Kerkini sustains probably the most productive commercial inland fishery in Greece. Before 1982, there were about 70 professional fishermen with 25-30 boats. Their numbers have now increased to 200-300 with 140 boats; there are also some 200 part-time fishermen. Since 1933 the lake has been rented out by the State to one or more individuals, or fishing cooperatives. In the last two decades the use of outboard motors and monofilament nylon, gill and trammel nets has become common practice but traditional means such as fish-traps, long-lines and fyke nets are occasionally used as well. Current average yield is about 25-35 kg/ha/year.

The natural vegetation of the Kerkini watershed belongs to para-mediterranean and mountainous mediterranean ecological zone.

Beech forests cover most of the Kerkini range above 800 m and small areas on the highest parts of Mavrovouni. The Oriental Beech (*Fagus moesiaca*) is dominant, mixed on occasion with Common Beech (*Fagus sylvatica*). Mixed stands include Hungarian Oak (*Quercus conferta*), Norway Maple (*Acer platanoides*), European Hornbam (*Ostrya carpinifolia*), Oriental Hornbeam (*Carpinus orientalis*), Common Hazel (*Coryllus avelana*), Holly (*Ilex aquifolium*), and in one location on Kerkini the Fir (*Abies borisii-regis*).

Like purple mist, Honesty (*Lunaria annua*) smothers the grassy clearings and the edges of the forest are lined with Heartsease (*Viola tricolor*), *Viola arvensis*, *Cowslip* (*Primula veris*), Wild Strawberry (*Fragaria vesca*), Perfoliate Alexanders (*Smyrnium perfoliatum*), Feverfew (*Chrysanthemum parthenicum*), Mountain Pennycress (*Thlaspi montanum*) and gigantic Common Mullein (*Verbascum thapsus*). In a few places the Deadly Nightshade (*Atropa belladonna*) flaunts its poisonous black berries next to Rusty Foxglove (*Digitalis ferruginea*). Where light reaches the ground, in open patches, Fumewort (*Corydalis solida*), Cream Corydalis (*Corydalis ochroleuca*) and Yellow Anemone (*Anemone ranunculoides*) grow side by side.

Deciduous oak forests are the most common forests in the area, occupying most of the Mavrovouni/Dysoron range. On mount Kerkini they cover the slopes below the beech forests.

The dominant species is Hungarian Oak (*Quercus conferta*), either in pure stands or mixed with other broad-leaved species such as Downy Oak (*Quercus pubescens*), Oriental Hornbeam (*Carpinus orientalis*), Manna Ash (*Fraxinus ornus*), Common Hazel (*Coryllus avelana*), *Ulmus minor*, Terebinth (*Pistacia terebinthus*), Elder (*Sambucus nigra*), Sorbet (*Cornus mas*), Field Maple (*Acer campstre*), Southern Pear (*Pyrus amygdaliformis*), *Prunus insititia*, Hawthorn (*Crataegus monogyna*) and Silver Lime (*Tillia argentea*). Sweet

Η Κερκίνη μάλλον είναι η παραγωγικότερη εμπορικά λίμνη στην Ελληνική ενδοχώρα. Πρίν το 1982 υπήρχαν περίπου 70 επαγγελματίες ψαράδες με 25-30 βάρκες. Τώρα υπάρχουν 200-300 με 140 βάρκες, κι ακόμα κάπου 200 ευκαιριακοί ψαράδες. Μετά το 1933 η λίμνη ενοικιάζεται από το Δημόσιο σε ένα ή περισσότερα άτομα, ή αλιευτικούς συνεταιρισμούς. Τις δύο τελευταίες δεκαετίες η χρήση εξωλέμβιων μηχανών και νάυλον διχτυών, απλαδιών και μανομένων, έχει γενικευτεί, οι ψαράδες όμως χρησιμοποιούν ακόμη και τα παραδοσιακά μέσα, νταούλια, παραγάδια και γρύπους. Ο μέσος όρος της αλιευτικής παραγωγής είναι 25-35 κιλά άνα εκτάριο το χρόνο.

Η φυσική βλάστηση του λεκανοπεδίου της Κερκίνης υπάγεται στην παραμεσογειακή και ορεινή μεσογειακή οικολογική ζώνη.

Δάση οξιάς σκεπάζουν το μεγαλύτερο μέρος της οροσειράς της Κερκίνης πάνω από τα 800 μέτρα και μικρές περιοχές στα ψηλότερα σημεία του Μαυροβουνίου. Κυριαρχεί η Ασιατική Οξιά (*Fagus moesiaca*), ανάμικτη μερικές φορές με Ευρωπαϊκή Οξιά (*Fagus sylvatica*). Σε συστάδες με μικτή βλάστηση βρίσκονται Πυκνοβελονιές (*Quercus conferta*), Νεροπλάτανοι (*Acer platanoides*), Οστρυές (*Ostrya carpinifolia*), Σκυλόγαυροι (*Carpinus orientalis*), Φουντουκιές (*Coryllus avelana*), Αρκουδοπούρναρα (*Ilex aquifolium*) και, σε μια τοποθεσία στην Κερκίνη, Μακεδονίτικα Έλατα (*Abies borisii-regis*).

Η Λουνάρια (*Lunaria annua*) τυλίγει τα χλοερά ξέφωτα με μαβιά ομίχλη κι οι άκρες του δάσους είναι κεντημένες με Βιόλες (*Viola tricolor, Viola arvensis*), Δακράκια (*Primula veris*), Αγριοφράουλες (*Fragaria vesca*), Σμύρνια (*Smyrnium perfoliatum*), *Chrysanthemum parthenicum, Thlaspi montanum* και τεράστια Βέρμπασκα (*Verbascum thapsus*). Σε λιγοστές πλαγιές η Μπελλαντόνα (*Atropa belladonna*) επιδεικνύει τους μαύρους, δηλητηριώδεις καρπούς της που μοιάζουν με κεράσια δίπλα στη *Digitalis ferruginea*. Σε ανοίγματα του δάσους, εκεί που το φώς φτάνει στο έδαφος, φυτρώνουν δίπλα-δίπλα Κορυδαλίδες (*Corydalis solida, Corydalis ochroleuca*) και Κίτρινες Ανεμώνες (*Anemone ranunculoides*).

Τα φυλλοβόλα δάση δρυός είναι είναι τα κοινότερα στην περιοχή και καλύπτουν το μεγαλύτερο μέρος της οροσειράς Μαυροβουνίου/Δύσορου. Στο όρος Κερκίνη σκεπάζουν τις πλαγιές χαμηλότερα απ' τα δάση της οξιάς.

Το κυρίαρχο είδος είναι η Πυκνοβελονιά (*Quercus conferta*), είτε αμιγής είτε σε συστάδες μαζί με άλλα πλατύφυλλα είδη όπως Ασπροβελανιδιές (*Quercus pubescens*), Σκυλόγαυρους (*Carpinus orientalis*), Μικρούς Φράξους (*Fraxinus ornus*), Φουντουκιές, Καραγάτσια (*Ulmus minor*), Αγριοτσικουδιές (*Pistacia terebinthus*), Κουφοξυλιές (*Sambucus nigra*), Κρανιές (*Cornus mas*), Σφεντάμια (*Acer campstre*), Γκορτσιές (*Pyrus amygdaliformis*), Κορομηλιές (*Prunus insititia*), Θαμνομουρτζιές (*Crataegus monogyna*) και Ασημοφλαμουριές (*Tillia argentea*). Η Καστανιά (*Castanea sativa*) συναντάται επίσης σε μικτές συστάδες στην Κερκίνη. Κάτω από τις ροζιασμένες βελανιδιές φυτρώνουν πολυάριθμα αγρολούλουδα, όπως Ελέβοροι (*Helleborus cyclophyllus*), Φριτιλάριες (*Fritillaria pontica*), *Ornithogallum nutans*, Πρίμουλες (*Primula vulgaris*), Σπαθωτά Κεφαλάνθηρα (*Cephalanthrea longifolia*), Κόρες του δάσους (*Orchis purpurea*), Πολυγόνατα (*Polygonatum odoratum*), Δακτυλίτιδες (*Digitalis lanata, Digitalis grandiflora, Digitalis lutea*), Αγριοκρέμμυδα (*Allium sphaerocephalon*), *Lysimachia punctata, Ajuga reptans* και *Anchusa officinalis*.

Αφρισμένα ποταμάκια διασχίζουν το δάσος, κυλώντας ανάμεσα σε βράχους σκεπασμένους από βρύα, με τις όχθες τους πνιγμένες στις φτέρες (*Polystichum* sp., *Polypodium vulgare* και *Asplenium adiantum-nigrum*). Το Αγριόσκορδο (*Allium ursinum*) φυτρώνει άφθονο στο υγρό χώμα και "ποτίζει" την ατμόσφαιρα με το βαρύ του άρωμα και η Καρδαμίνη (*Cardmine bulbifera*) γέρνει τα μικρά άσπρα άνθη της πλάι στη Σαξιφράγκα (*Saxifraga stellaris*) και το *Lamiastrum galeobdolon*.

Σε μερικές τοποθεσίες και στα δύο βουνά έχουν φυτευτεί Πεύκα (*Pinus nigra, Pinus brutia* και *Pinus sylvestris*), κυρίως σε σημεία όπου το φυσικό δάσος έχει υλοτομηθεί .

Ψηλά, πάνω απ' τα δάση της οξιάς στην Κερκίνη, στην υποαλπική ζώνη, το χιόνι κρατάει ώς το τέλος της άνοιξης και τα Πορφυρά Κρίνα (*Lilium martagon*) ανθίζουν τον Ιούνιο, μέσα σ' ένα πυκνό χαλί από Φτέρες (*Pteridium aquilinum*), δίπλα στο *Polygala nicaeensis* και διάφορα ψυχρόφιλα χόρτα (*Bromus* sp. και *Festuca* sp.).

Σε μικρότερο υψόμετρο, χαμηλότερα από τα δρυοδάση, στους πρόποδες των λόφων και στις εκτάσεις ανάμεσα στα χωριά φυτρώνουν φυλλοβόλοι θάμνοι. Είναι κυρίως τα είδη που συναντώνται στα δρυοδάση, αλλά σε θαμνώδη μορφή, όπως οι Βελανιδιές (*Quercus conferta, Quercus pubescens*), Παλιούρια (*Paliurus spina-christi*), Τσαπουρνιές (*Prunus spinosa*), *Pyrus amygdaliformis* και *Crataegus monogyna*. Γύρω απ' τις ρίζες τους ανθίζουν άφθονα αγριολούλουδα, κι ανάμεσά τους τα ορχεοειδή *Ophrys mammosa* - που φυτρώνει με μεγάλους πληθυσμούς σε κάποια σημεία - *Orchis morio, Anacamptis pyramidalis, Himantoglossum caprinum και Dactylorhiza romana*, που βρίσκονται διάσπαρτα σε αρκετά σημεία του βουνού, με μικρότερους πληθυσμούς. Αγριοτριανταφυλλιές (*Rosa canina*) σκορπίζουν το λεπτό τους άρωμα στα ηλιόλουστα ανοίγματα, τριγυρισμένες από Καμπανούλες (*Campanula glomerata, Campanula rotundifolia*), Αχίλλειες (*Achillea tomentosa*), Σάλβιες (*Salvia sclarea*), *Linaria vulgaris, Epilobium angustifolium* και *Verbascum blattaria*.

Μεγάλη ποικιλία φυτών βρίσκεται στούς αγρούς κοντά στα χωριά και στα λιβάδια γύρω από το νερό. Εκεί συναντώνται Δρακοντιές (*Dracunculus vulgaris*), Ανεμώνες (*Anemone hortensis, Anemone blanta*), Παπαρούνες (*Papaver rhoeas*), Θυμάρι (*Thymus vulgaris*), Ντατούρες (*Datura stramonium, Datura metel*), *Hypecoum imberbe, Solanum dulcamara, Chrysopogon gryllus, Dichanthium ishaemum, Dactylis glomerata, Teucrium pollium, Medicago hispida, Trifolium campestre, Plantago lagopus* και αγρωστώδη (*Cynodon dactylon, Agrostis stolonifera*).

Στα χαμηλότερα σημεία των χωμάτινων αναχωμάτων που περιβάλλουν τη λίμνη και τις όχθες της τεχνητής κοίτης, έχουν δημιουργηθεί αποικίες νιτρόφιλων φυτών, με κύρια είδη τις Κίτρινες Ίριδες (*Iris pseudacorus*), το Στύφνο (*Solanum nigrum*), τις Ιππουρίδες (*Hippuris vulgaris*), τα *Xanthium strumarium, Epilobum hirsutum, Lycopus europaeus, Chenopodium botrys, Butomus umbellatus* και *Lythrum salicaria*. Στη στέψη των αναχωμάτων φυτρώνουν άλλα είδη· τα κοινότερα απ' αυτά είναι οι Βατομουριές (*Rubus canascens, Rubus* sp.), το Σαπουνόχορτο (*Saponaria*

Chestnut (*Castanea sativa*) also occurs in mixed stands in Kerkini. Under the gnarled oaks the herb layer is very rich including species such as Hellebore (*Helleborus cyclophyllus*), Fritillary (*Fritillaria pontica*), Drooping Star-of-Bethlehem (*Ornithogallum nutans*), Primrose (*Primula vulgaris*), Sword-leaved Helleborine (*Cephalanthrea longifolia*), Lady Orchid (*Orchis purpurea*), Angled Solomon's Seal (*Polygonatum odoratum*), Grecian Foxglove (*Digitalis lanata*), Large Yellow Foxglove (*Digitalis grandiflora*), Straw Foxglove (*Digitalis lutea*), Round-headed Leek (*Allium sphaerocephalon*), Dotted Loosestrife *(Lysimachia punctata)*, Common Bugle (*Ajuga reptans*) and Bugloss (*Anchusa officinalis*).

Bubbling streams rush through the forests, spilling over moss covered rocks, their banks swathed in a dense layer of Shield Ferns (*Polystichum* sp.), Adder's Ferns (*Polypodium vulgare*) and Black Spleenwort (*Asplenium adiantum-nigrum*). Wood Garlic (*Allium ursinum*) grows in profusion on the damp ground, permeating the air with its heavy scent and Bittercress (*Cardmine bulbifera*) nods its tiny white flowers next to Starry Saxifrage (*Saxifraga stellaris*) and Yellow Archangell (*Lamiastrum galeobdolon*).

Pines (*Pinus nigra, Pinus brutia* and *Pinus sylvestris*) have been planted in several locations on both mountains, mostly in areas where the natural forest has been cleared.

High above the beech forests of Kerkini, in the subalpine zone, snow lasts until the end of spring and Martagon Lilies (*Lilium martagon*) flower in June amidst a carpet of Bracken (*Pteridium aquilinum*), next to Variable Milkwort (*Polygala nicaeensis*) and cool season grasses such as *Bromus* sp. and *Festuca* sp.

The lower elevations below the oak forests, the foothills around the lake and the areas around the villages are covered by deciduous shrubs. These are mostly the same species found in the oak forests but in shrub form, including Oaks (*Quercus conferta, Quercus pubescens*), Christ's Thorn (*Paliurus spina-christi*), Blackthorn (*Prunus spinosa*), *Pyrus amygdaliformis* and *Crataegus monogyna.* Among the roots of the shrubs, a multitude of herbs raise their flowers, including several species of orchids. Mammose Ophrys (*Ophrys mammosa*) grows locally in large numbers; Green-winged Orchid (*Orchis morio*), Pyramidal Orchid (*Anacamptis pyramidalis*), Balkan Lizard Orchid (*Himantoglossum caprinum*) and Roman Orchid (*Dactylorhiza romana*) are less numerous and more widespread. Dog Rose (*Rosa canina*) wafts its delicate scent over the sunny openings, decked with Clustered Bellflower (*Campanula glomerata*), Harebell (*Campanula rotundifolia*), Yellow Millfoil (*Achillea tomentosa*), Clary (*Salvia sclarea*), Common Toadflax (*Linaria vulgaris*), Rosebay Willowherb (*Epilobium angustifolium*) and Moth Mullein (*Verbascum blattaria*).

A large variety of plant species is found in grassland areas near the villages and on the plains of the watershed including Dragon Arum (*Dracunculus vulgaris*), Anemones (*Anemone hortensis, Anemone blanta*), Erect Hypecoum (*Hypecoum imberbe*), Corn Poppy (*Papaver rhoeas*), Thorn Apples (*Datura stramonium, Datura metel*), Bittersweet (*Solanum dulcamara*), *Chrysopogon gryllus, Dichanthium ishaemum*, Thyme (*Thymus vulgaris*), Cocksfoot (*Dactylis glomerata*), *Teucrium pollium*, Hairy Medick (*Medicago hispida*), Clovers (*Trifolium campestre*), Plantains (*Plantago lagopus*) and Gramineae grasses (*Cynodon dactylon, Agrostis stolonifera*).

The earthen dikes surrounding the lake and the artificial river bed have been colonised by nitrophilus plants on their lower parts, dominated by Cocklebur (*Xanthium strumarium*), Greater Willowherb (*Epilobum hirsutum*), Gupsy-wort (*Lycopus europaeus*), Goosefoot (*Chenopodium botrys*), Black Nightshade (*Solanum nigrum*), Mare's Tale (*Hippuris vulgaris*), Yellow Iris (*Iris pseudacorus*), Flowering Rush (*Butomus umbellatus*) and Purple Loosestrife (*Lythrum salicaria*). Other species appear near the top of the dikes; most common among them are Dwarf Elder (*Sambucus ebulus*), Blackberries (*Rubus canascens*), Yellow Chamomile (*Anthemis tinctoria*), Soapwort (*Saponaria officinalis*), Chicory (*Cichorium intybus*), Maiden Pink (*Dianthus deltoides*), Stranglewort (*Cynachum acutum*), Golden Alison (*Alyssum saxatile*), Knotweed (*Polygonum arenarium*), Great Millet (*Sorghum halepense*), *Verbascum pulverolentum, Alyssum campestre* and *Centaurea* sp.

The irrigation canals around the lake and among the fields, are very important habitats for many small birds, reptiles and amphibians. Their banks are lined with Willows (*Salix alba, Salix triandra*), *Alnus glutinosa*, Poplars (*Populus alba, Populus nigra*) and the occasional *Tamarix parviflora.* Common Reeds (*Phragmites communis*) are so plentiful that they often block water flow. Lesser Reedmace (*Typha angustifolia*) and Great Reedmace (*Typha latifolia*) occur locally and floating vegetation includes Floating Fern (*Salvinia natans*), *Ranunculus fluitans*, Lesser Duckweed (*Lemna minor*) and Gibbous Duckweed (*Lemna gibba*). Numerous herbaceous species occur on their moist sides, such as Great Wilowherb (*Epilobium hirsutum*), Cockspur Grass (*Echinochloa crus-galli*), Water Mint (*Mentha aquatica*) and Pale Buglos (*Echium italicum*).

In many locations along the course of the Strymon, on the embankments and the lake shores, poplar plantations have been planted for wood production and to help prevent soil erosion. Some are privately owned but most are managed by the Forestry Service. The poplar monocultures led to the destruction of the natural under storey shrub vegetation left behind when the riparian forests were cut down. They have, however, to some extend, replaced the natural woodlands, providing nesting and rooting sires for some species of birds; a large colony of Grey Herons forms every year in plantations close to Limnochori.

The littoral vegetation of Lake Kerkini has been profoundly modified by increased flooding after 1982.

Before then, the extensive emergent beds of *Phragmites communis*, mixed with smaller stands of Common Club-rush (*Scirpus lacustris*) and *Typha* sp. covered 900-1,000 ha, providing shelter for thousands of pairs of breeding birds. By 1984 the reedbeds had completely disappeared, destroyed by excessive water depths. To this day they have not re-appeared because of the large amplitude in water levels, high summer levels and increased grazing pressure that prevent installation beyond the water line.

Isolated stands occur near the western shore, in areas that are not accessible to sheep and cattle. Small patches of reeds survive elsewhere, mostly were protected within dense clumps of willows.

Under the new hydrological regime, a large bed of White Water-lilies (*Nymphaea alba*) developed within a short period in the northwestern part of the lake, in an area previously

officinalis) και τα *Sambucus ebulus*, *Alyssum campestre*, *Centaurea* sp., *Anthemis tinctoria*, *Cichorium intybus*, *Dianthus deltoides*, *Cynanchum acutum*, *Alyssum saxatile*, *Verbascum pulverolentum*, *Polygonum arenarium*, *Sorghum halepense*.

Τα αρδευτικά κανάλια γύρω από τη λίμνη, αλλά και μακρύτερα, ανάμεσα στα χωράφια, είναι σημαντικότατα ενδιαιτήματα για πολλά μικρά πουλιά, ερπετά και αμφίβια. Οι όχθες τους είναι κατάφυτες με Ιτιές (*Salix alba*, *Salix triandra*), Κλήθρα (*Alnus glutinosa*), Λεύκες (*Populus alba*, *Populus nigra*) και σε μερικά σημεία Αρμυρίκια (*Tamarix parviflora*). Οι Καλαμιές (*Phragmites communis*) είναι τόσο πολλές που συχνά εμποδίζουν την ροή του νερού. Σε κάποιες τοποθεσίες φυτρώνουν Ψαθιά (*Typha angustifolia* και *Typha latifolia*) και στα ελεύθερα πλέοντα μακρόφυτα συμπεριλαμβάνονται τα *Salvinia natans*, *Ranunculus fluitans*, *Lemna minor* και *Lemna gibba*. Πολλά ποώδη φυτά, όπως το Φλυσκούνι (*Mentha aquatica*), *Epilobium hirsutum*, *Echinochloa crus-galli*, και *Echium italicum* φυτρώνουν στίς υγρές όχθες των καναλιών.

Σε πολλά σημεία γύρω από την κοίτη του Στρυμόνα, στα αναχώματα και στις όχθες της λίμνης έχουν φυτευτεί μονοκαλλιέργειες λεύκας, για παραγωγή ξυλείας και για να περιοριστεί η διάβρωση του εδάφους. Μερικές είναι ιδιωτικές, όμως τις περισσότερες διαχειρίζεται η Διεύθυνση Δασών. Οι τεχνητές φυτείες λεύκας κατέστρεψαν όσα υπολείμματα του φυσικού θαμνώδους υπόροφου απέμεναν μετά την υλοτόμηση των παρόχθιων δασών. Μέχρις ενός σημείου έχουν όμως αντικαταστήσει τα φυσικά δάση, προσφέροντας κατάλληλες θέσεις για φώλιασμα σε μερικά είδη πουλιών. Κάθε χρόνο, μια μεγάλη αποικία Σταχτοτσικνιάδων φωλιάζει στίς φυτείες κοντά στο Λιμνοχώρι.

Η παρόχθια βλάστηση της λίμνης Κερκίνης τροποποιήθηκε δραστικά από την αύξημένη κατάκλυση μετά το 1982.

Μέχρι τότε, οι εκτεταμένοι καλαμώνες του *Phragmites communis*, ανάμικτοι με μικρότερες συστάδες από ψαθιά (*Typha* sp.) και *Scirpus lacustris*, κάλυπταν 9.000-10.000 στρέμματα, παρέχοντας καταφύγιο σε χιλιάδες πουλιά που αναπαράγονταν εκεί. Το 1984 οι καλαμώνες είχαν εξαφανιστεί τελείως, κατεστραμένοι από το υπερβολικό βάθος του νερού. Μέχρι σήμερα δεν έχουν επανεμφανιστεί, έξ αιτίας της μεγάλης διακύμανσης της στάθμης, το μεγάλο βάθος κατά τη διάρκεια του καλοκαιριού και την αυξανόμενη βοσκή που εμποδίζει την εγκατάστασή τους πέρα από τα όρια του νερού.

Μεμονωμένες συστάδες καλαμιών υπάρχουν κοντά στη βόρεια όχθη, σε σημεία απροσπέλαστα για τα πρόβατα και τα γελάδια. Μικρότερες τούφες επιζούν κι αλλού, κυρίως σε μέρη όπου προστατεύονται ανάμεσα σε πυκνές συστάδες ιτιών.

Με το νέο υδρολογικό καθεστώς μια μεγάλη κοινωνία από Άσπρα Νούφαρα (*Nymphaea alba*) σχηματίστηκε πολύ γρήγορα στη βορειοδυτική πλευρά της λίμνης, στην περιοχή που προηγουμένως βρίσκονται οι καλαμώνες. Μια και δεν υπήρχαν ευδιάκριτες συγκεντρώσεις πρίν το 1982, τα νούφαρα πρέπει να φύτρωναν σε ανοίγματα ή λιμνούλες ανάμεσα στα καλάμια και να εξαπλώθηκαν μόλις η εξαφάνιση των άλλων υπερυδατικών μακρόφυτων τούς έδωσε την ευκαιρία. Το 1990 ο σμαραγδένιος τάπητας των νούφαρων, κεντημένος με λαμπρά λευκά λουλούδια, κάλυπτε 3.250 στρέμματα.

Εκείνη την εποχή τα νούφαρα μάλλον είχαν επεκταθεί μέχρι το ανώτατο όριο βάθους, καθώς έπρεπε να επιζήσουν για περισσότερες από 40 μέρες σε βάθος νερού 5 μ, ήδη μεγαλύτερο από το αναφερόμενο στην βιβλιογραφία σαν οριακό. Η συνεχής ανύψωση της μεγίστης στάθμης του νερού μετά το 1991 έγειρε την πλάστιγγα και η συστάδα των νούφαρων άρχισε να συρρικνώνεται χρόνο με το χρόνο. Το 1995 κάλυπτε μόνο 500-800 στρέμματα, και είχε περιοριστεί στα ρηχότερα σημεία κοντά στο δυτικό ανάχωμα.

Η υδρόβια επιπλέουσα βλάστηση περιλαμβάνει εκτεταμένους τάπητες από Κίτρινα Νούφαρα (*Nymphoides peltata*) που φυτρώνουν σε ρηχότερα νερά, κυρίως στο βόρειοανατολικό μέρος της λίμνης και μικρές συγκεντρώσεις από Ποταμογείτονες (*Potamogeton fluitans* και *Potamogeton pectinatus*). Οι συστάδες του *Nymphoides peltata* κοντά στο ανατολικό ανάχωμα έχουν επεκταθεί μετά το 1993, μάλλον επειδή η ψηλότερη στάθμη δημιούργησε ιδανικό βάθος γι' αυτά σε περιοχές που αλλοιώς θα ήταν υπερβολικά ρηχές. Αυτή η ανάπτυξη όμως δεν πρόκειται να συνεχιστεί αν εξακολουθήσει η αύξηση του βάθους.

Οι τεράστιοι τάπητες από Νεροκάστανα (*Trapa natans*) που κάλυπταν τα ρηχά νερά πρίν το 1982 έπαψαν να αναπτύσσονται, αποδεκατισμένοι από τη μεγάλη διακύμανση των επιπέδων του νερού. Τα Νεροκάστανα, σπάνια και προστατευόμενα στην Ευρώπη, εμφανίζονται τώρα με μικρούς πληθυσμούς, αραιά διεσπαρμένους στα όρια της πλημμυρισμένης περιοχής σε σημεία προστατευμένα από τον άνεμο.

Προς το μεσοκαλόκαιρο, καθώς το νερό αρχίζει ν' αποτραβιέται, σε απομονωμένα σημεία της όχθης, σε ανοικτά νερά μέσα στο δάσος, μα περισσότερο στα πλημμυρισμένα λιβάδια, σε τάφρους και λιμνούλες γύρω από τη νέα και την παλιά κοίτη του ποταμού, μικροσκοπικά επιπλέοντα φυτά σκεπάζουν σαν σεντόνι το νερό. Οι αμέτρητοι πράσινοι θαλοί των *Spirodela polyrhiza*, *Lemna minor* και *Salvinia natans* αναπτύσσονται τόσο πυκνά που καλύπτουν εντελώς την επιφάνεια και δημιουργούν την ψευδαίσθηση σταθερού εδάφους σκεπασμένου με γρασίδι.

Αυτοί οι μοναδικοί τάπητες από υδρόφυτα και πλευστόφυτα συγκαταλέγονται στα σπουδαιότερα δομικά στοιχεία του υγρότοπου της Κερκίνης. Η βλάστησή τους είναι κύρια πηγή τροφής για φυτοφάγα ασπόνδυλα, ψάρια και πουλιά. Ακόμα και τα υπολείμματα από την αποσύνθεση των φυτών συντηρούν μεγάλους πληθυσμούς ασπόνδυλων, που με τη σειρά τους γίνονται λεία πουλιών και ψαριών. Πολλά είδη αμφιβίων και ψαριών στερεώνουν τα αυγά τους στίς μακροφυτικές συστάδες, που προσφέρουν προστασία και καταφύγιο στα νεογνά όσο μεγαλώνουν. Ακόμα η συστάδα των Άσπρων Νούφαρων είναι ο μοναδικός τόπος αναπαραγωγής για εκατοντάδες ζευγάρια Μαυρογλάρονα (*Chlidonias nigra*) και Μουστακογλάρονα (*Chlidonias hybridus*), που φτιάχνουν τις εύθραυστες φωλιές τους επάνω στα πλατιά φύλλα.

Το 1980, τα υπολείμματα του υδροχαρούς δάσους στο δέλτα του Στρυμόνα εκάλυπταν περίπου 7.000 στρέμματα και υψομετρικά κατείχαν τη ζώνη απο +31,4 ώς +36 μέτρα. Αποτελούνταν κυρίως από υβρίδια ιτιάς καθώς και Ασημοϊτιές (*Salix alba*), Δαφνοϊτιές (*Salix pentandra*),

occupied by reeds. Since there were no distinct beds prior to 1982, water-lilies must have been present in clearings or small ponds in the reedbed and expanded rapidly when the disappearance of emergent plants provided the opportunity. In 1990 the emerald green carpet, studded with brilliant white flowers, covered 325 ha. By that time *Nymphaea alba* had probably reached its depth limit, as the plants had to withstand a depth of 5 m for more than 40 days, already greater than their tolerance limits, as reported in the literature.
The additional rise of the maximum level after 1991 tilted the scales and the water-lily bed started to diminish in size year by year. In 1995 it covered no more than 50-80 ha, restricted in the shallower spots towards the western embankment.

Floating aquatic vegetation includes large carpets of Fringed Water-lilies (*Nymphoides peltata*), which occur in shallower water, mostly at the northeastern part of the lake, and small concentrations of Pondweeds (*Potamogeton fluitans, Potamogeton pectinatus*). The stands of *Nymphoides peltata* near the eastern embankment have actually grown in size after 1993, probably because the higher water level has provided optimum depths in areas that, otherwise, would have been too shallow. This growth, however, is unlikely to continue if the increase in depth persists.

The tremendous beds of Water Chestnuts (*Trapa natans*) that spread over the swallows prior to 1982 no longer develop, decimated by the increased fluctuation in water levels. *Trapa natans*, rare and protected in Europe, now appears with small, widely scattered populations along the fringes of the flooded area, in locations well protected from the wind.

Towards midsummer, as the water begins to withdraw, in secluded spots along the lakeshore, in open water within the forest but mostly in the flooded meadows, in ditches and ponds around the new and the former course of the river, tiny free-floating plants spread like a shroud over the water. The countless green thalli of Greater Duckweed (*Spirodela polyrhiza*), *Lemna minor* and *Salvinia natans* are packed so densely as to completely cover the surface, creating the illusion of solid ground covered with grass.
These unique carpets of Hydrophytes and Pleustophytes are among the most important structural elements of the Kerkini wetland. The vegetation is a main food source for herbivorous invertebrates, fish and birds. Plant litter and detritus also support rich invertebrate populations, that are in turn predated upon by fish and birds. The macrophytic stands serve as spawning supports for the eggs of many fish and amphibian species and then offer protection and shelter for the growing young. In addition, the *Nymphaea* bed serves as the exclusive breeding ground for hundreds of pairs of Black Terns (*Chlidonias nigra*) and Whiskered Terns (*Chlidonias hybridus*), that build their flimsy nests on the large leaves.

In 1980, the remnants of riparian forest at the Strymon delta covered some 700 ha, occurring between attitudes of 31.4 and 36 m a.s.l. and consisting mostly of Willow hybrids as well as White Willow (*Salix alba*), Laurel Willow (Salix pentandra), False Indigo(*Amorpha fructicosa*), and smaller populations of Tamarisks (*Tamarix* sp.), White Poplars (*Populus alba*) and Ash (*Fraxinus* sp.). At peak levels the water flooded lands up to the altitude of 32.5 m a.s.l. with an average depth of 0.9 m. Maximum duration of flooding within the forest was 99 days.

Flooding is a stress for trees, whose tolerance depends on factors such as their age and size, the water depth and its oxygen content, soil oxygenation, the season and the duration of submersion. A period lasting 40% of the total growth season is accepted as the maximum for survival of a flooded forest (the growth period for *Salix alba* lasts 270 days, extending from March to November). The negative impact is reinforced when

Αμυγδαλοϊτιές (*Salix triandra*), Ακακίες (*Amorpha fructicosa*) και μικρότερους πληθυσμούς από Αρμυρίκια (*Tamarix* sp.), Ασημόλευκες (*Populus alba*) και Φράξους (*Fraxinus* sp.). Στα κορυφαία επίπεδα, το νερό κατέκλυζε τα εδάφη ως το υψόμετρο των +32,5 μέτρων, με μέγιστο βάθος 0,9 μέτρα. Η μέγιστη διάρκεια του πλημμυρισμού μέσα στο δάσος ήταν 99 ημέρες.

Η κατάκλυση καταπονεί σημαντικά τα δέντρα. Η αντοχή τους εξαρτάται από παράγοντες όπως η ηλικία και το μέγεθός τους, το βάθος του νερού και η περιεκτικότητά του σε οξυγόνο, η οξυγόνωση του εδάφους, η εποχή και η διάρκεια της βύθισης. Μιά περίοδος που διαρκεί 40% του συνολικού χρόνου αύξησης των δένδρων είναι το μέγιστο όριο επιβίωσης ενός πλημμυρισμένου δάσους (η εποχή αύξησης της Ασημοϊτιάς διαρκει 270 μέρες, από το Μάρτιο ως το Νοέμβριο). Η αρνητική επίδραση μεγαλώνει όταν το νερό είναι στάσιμο και οι θερμοκρασίες ψηλές, όπως συμβαίνει στην Κερκίνη, όπου το δάσος παραμένει πλημμυρισμένο από το Μάρτιο ως το Σεπτέμβριο.

Μετά το 1982 η διάρκεια της ολοκληρωτικής κατάκλυσης στις χαμηλότερες περιοχές του δάσους ξεπέρασε κατά πολύ το όριο του 40%, με αποτέλεσμα τα δένδρα να πεθάνουν κατά χιλιάδες. Μέχρι το 1990, το δάσος είχε περιοριστεί στο ελάχιστο υψόμετρο των +32,5 μέτρων. Σ' αυτό το υψόμετρο τα δένδρα εξακολουθούσαν να υφίστανται έναν μέσο όρο 191 ημερών βύθισης (σχεδόν 70% του χρόνου αύξησης). Από την αρχική έκταση είχε απομείνει περίπου η μισή, μόλις 3.250 στρέμματα. Τα Αρμυρίκια, οι Λεύκες και οι Φράξοι είχαν σχεδόν εξαφανιστεί και στο δάσος κυριαρχούσαν τα υβρίδια ιτιάς και οι Ακακίες (*Amorpha fructicosa*). Οι δεύτερες υπολογίζεται ότι κάλυπταν το 10-20% της συνολικής έκτασης.

Μετά την καταστροφή των καλαμώνων και όλων των μεγάλων δένδρων στην περιφέρεια της λίμνης, το δάσος έγινε πολύτιμο για τα υδρόβια πουλιά που αναπαράγονται στην περιοχή, αφού ήταν πλέον η μόνη κατάλληλη τοποθεσία φωλιάσματος που απέμεινε.

Το 1990, οι υδρολογικές συνθήκες στα +34,5 μ προσέγγισαν αυτές που επικρατούσαν στο χαμηλότερο υψόμετρο που κάλυπτε το δάσος το 1980, οπότε θεωρήθηκε ότι η καταστροφή θα συνεχιζόταν μέχρι αυτό το υψόμετρο και μετά θα σταματούσε.

Δυστυχώς, η συνεχιζόμενη ανύψωση της μέγιστης στάθμης μετά το 1991 επιτάχυνε την παρακμή του δάσους. Για δύο βδομάδες, στα τέλη Μαΐου με αρχές Ιουνίου 1995, όταν το νερό έφτασε τα +36,4 μέτρα, το βάθος στα χαμηλότερα σημεία του δάσους ήταν σχεδόν 4 μέτρα και μόνο οι κορυφές των ψηλότερων δένδρων ξεπρόβαλλαν πάνω από την επιφάνεια (μέσο ύψος της *Salix alba* 3,5-5,4 μέτρα). Η ανάλυση δορυφορικών φωτογραφιών το 1994 έδειξε πως η έκταση του δάσους έχει μειωθεί ακόμα και πως έχουν σχηματιστεί πολλά μεγάλα ανοίγματα στα σημεία που τα δέντρα έχουν πεθάνει.

Η συγκομιδή των ψαριών στην λίμνη Κερκίνη αναφερόταν ώς πλούσια και μεγάλη, ήδη από τους αρχαίους χρόνους.

Ο Αριστοτέλης γράφει πως τα χέλια ".... πνίγονται γρήγορα όταν το νερό δεν είναι καθαρό, γιατί τα βράγχιά τους είναι μικρα. Γι' αυτό οι ψαράδες θολώνουν το νερό για να τα πιάσουν .... Είναι ιδιαίτερα άφθονα στον ποταμό Στρυμόνα, όπου πιάνονται την εποχή των Πλειάδων (η πρωινή ανατολή του αστερισμού των Πλειάδων, στις αρχές Μαρτίου) γιατί τότε το νερό κι η λάσπη ανακατεύονται απ' τους ανέμους που φυσούν κόντρα στο ρεύμα ...."

Πολύ αργότερα, ο William Leake περιγράφοντας την επίσκεψη του στο Νεοχώρι, στις 8 Νεομβρίου του 1806, αναφέρει πως έφτασε στο χωριό μόλις ".... είχαν ψαρέψει μερικές χιλιάδες χέλια, πολλά από τα οποία είχαν τεράστιο μέγεθος .... Στο Νεοχώρι κατοικούν σαράντα οικογένειες Ελλήνων και το χωριό φαίνεται να οφείλει την ύπαρξή του κυρίως στο επικερδές ψάρεμα των χελιών του Στρυμόνα, αυτών των χελιών που οι αρχαίοι εξυμνούσαν για το μέγεθος και το πάχος τους .... οι χωρικοί τα πουλούν φρέσκα ή αλατισμένα για 30, 40, ακόμα και 50 παράδες το ζευγάρι, ανάλογα με την απόσταση που πρέπει να τα στείλουν. Λένε πως η ψαριά του ιχθυοτροφείου κάθε χρόνο φτάνει τα 40.000 ζευγάρια μεγάλα χέλια, εκτός από τα μικρότερα και τα άλλα είδη ψαριών ...."

Οι ντόπιοι ψαράδες μιλούν ακόμα και σήμερα για Γουλιανούς *(Silurus glanis)* με μήκος ένα ή και δύο μέτρα και βάρος πάνω από 100 κιλά, που πιάνονταν συχνά στη λίμνη μέχρι και τα τέλη της δεκαετίας του 1970. Ως εκείνη την εποχή, οι κάτοικοι των κοντινών χωριών ψάρευαν στο Στρυμόνα κρατώντας ψάθινα καλάθια και περπατώντας μέσα στο ποτάμι αντίθετα στο ρεύμα, σαν τους αρχαίους κατοίκους της λίμνης Πρασσιάδας.

Έχουν καταγραφεί περισσότερα από 30 είδη ψαριών στο ευρύτερο σύστημα Στρυμόνα/Κερκίνης. Το Σίρκο (*Alburnus alburnus strumicae*) και το Τυλινάρι (*Leuciscus cephalus macedonicus*) είναι ενδημικά υποείδη. Η Τούρνα (*Esox lucius*) εξαφανίστηκε από τη λίμνη στη δεκαετία του 1940. Μετά το 1983 οι Γουλιανοί απουσιάζουν σχεδόν τελείως από τις ψαριές της λίμνης και πιάνονται μόνο στο ποτάμι, χαμηλότερα από το φράγμα. Τα Χέλια (*Anguilla anguilla*) έχουν επίσης αποκλειστεί από τη λίμνη, εξ αιτίας του νέου φράγματος που τα εμποδίζει να την πλησιάσουν, και τώρα πιάνονται ευκαιριακά μόνο στο Στρυμόνα.

Η αλιευτική απόδοση αυξήθηκε έντονα αμέσως μετά την αποπεράτωση του νέου φράγματος, κορυφώθηκε το 1984 και μετά μειώθηκε απότομα, μέχρι που σταθεροποιήθηκε στα 25-35 κιλά ανά έκτάριο ετησίως - στα χαμηλότερα επίπεδα που έχουν ποτέ καταγραφεί για την Κερκίνη.

Ο σχηματισμός της πελαγικής ζώνης, οι ευνοϊκές θερμοκρασίες, η αρχική αύξηση της μακροφυτικής βλάστησης και η εξαφάνιση των αρπακτικών ειδών (*Esox lucius, Perca fluviatilis, Silurus glanis*) ευνόησε το γρήγορο πολλαπλασιασμό ειδών κατώτερης εμπορικής ποιότητας όπως το Σίρκο, το Ασπρογρίβαδο (*Aspius aspius*) και το Τσιρώνι (*Rutilus rutilus*). Η Πεταλούδα (*Carassius auratus*) και το Ηλιόψαρο (*Lepomis gibbosus*) είναι ξενικά είδη που εισάχθηκαν, το πρώτο από την Ιταλία, ενώ το δεύτερο έφτασε στη λίμνη μέσω του Στρυμόνα από τη Βουλγαρία. Η έλλειψη θηρευτών επέτρεψε και στα δύο είδη να πολλαπλασιάστουν υπερβολικά.

Μετά το 1988-1989, παρατηρήθηκε μεγάλη ελάττωση των Γριβαδιών (*Cyprinus carpio*) η οποία αποδίδεται κυρίως στην υπεραλίευση. Πάντως, μια και το Γριβάδι είναι είδος που γεννά σε ρηχά νερά με πυκνή βλάστηση, είναι πιθανόν να έχει επηρεαστεί από την ελάττωση των ρηχών περιοχών και της

the water is static and the temperature high, as is certainly the case for Kerkini, where the forest area is inundated from March until September.

After 1982 the duration of total submersion at the lower areas of the forest greatly exceeded the 40% limit. As a result trees died in their thousands and by1990 the forest had retreated up to a minimum altitude of 32.5 m a.s.l. At that altitude the trees were still subjected to an average of 191 days of flooding (almost 70% of the growth season). The forested area had diminished by more than half, down to 325 ha. *Tamarix*, *Populus* and *Fraxinus* sp. had almost completely disappeared and the forest was dominated by *Salix* hybirds with *Amorpha fructicosa* accounting for 10-20 % of the total coverage.

The forest had also become invaluable for breeding waterbirds, as it was the only suitable nesting location left after the elimination of the reed beds and all other large trees in the periphery of the lake.

By 1990, hydrological conditions at 34.5 m a.s.l. approximated those of the lowest level occupied by forest in 1980, so the deterioration was expected to continue up to that altitude and then stabilise.

Unfortunately the further increase in maximum levels since 1991 has rapidly accelerated the forest decline. For two weeks at the end of May - beginning of June 1995, when the water reached 36.4 m a.s.l., the depth at the lower parts of the forest was almost 4 m and only the tops of the tallest trees remained above the surface (mean height of *Salix alba* 3.5-5.4 m). Analysis of 1994 satellite photographs showed that the forest area has been further reduced and many large clearings have been formed within that area, where trees have died.

The fish harvest of Lake Kerkini has been mentioned as rich and varied since ancient times.

Aristotle writes that eels ".... quickly suffocate when the water is not clear, for their gills are small. For this reason those fishing for eels disturb the water .... They are especially plentiful in the river Strymon, where they are caught at the time of the Pleiad (the morning rising of the Pleiads in early May), for then the water and mud are made turbid by winds coming from the opposite direction ...."

Much later, William Leake, describing his visit to Neokhori on November 8, 1806, mentions that he arrived ".... just as some thousands of eels were taken in, many of which were of enormous size .... Neokhori is inhabited by forty Greek families and seems chiefly to owe its existence to the profitable fishery of the Strymonian eels, which were celebrated among the ancients for their size and fatness .... the people of the village sell them either fresh or salted at 30, 40 or even 50 paras a pair, according to the distance to which they are sent.
The fishery is said to produce annually about 40, 000 brace of large eels, besides the smaller and other fish ...."

Local fishermen still reminisce about huge Catfish or Wels *(Silurus glanis)* measuring one or even two meters and weighing over 100 kg. Such fish were often caught in the lake till the late 1970s. Until then, people from the nearby villages used to fish in the Strymon by merely walking into the river and holding wicker baskets against the flow, much like the ancient lake-dwellers of lake Prassias.

Over 30 species of fish have been recorded in the wider

Strymon/Kerkini system. The subspecies of Bleak (*Alburnus alburnus strumicae*) and Chub (*Leuciscus cephalus macedonicus*) are endemic.

The Pike (*Esox lucius*) disappeared from the lake in the 1940s. Since 1983 the Wels is completely absent from catches in the lake, observed only in the river downstream of the dam. Eels (*Anguilla anguilla*) were also excluded from the lake by the new dam that prevents elvers from reaching it; now they are caught only occasionally in the Strymon.

The yield of fish increased immediately after completion of the new dam, reaching a peak in 1984 but then dropped abruptly before stabilising at 25-35 kg/ha/year, among the lowest values ever recorded at Kerkini.

The formation of the pelagic zone, favourable temperatures, the initial increase in macrophytic vegetation and the elimination of predatory species (*Esox lucius, Perca fluviatilis, Silurus glanis*) favoured the rapid proliferation of coarse species such as Bleak, Asp (*Aspius aspius*) and Roach (*Rutilus rutilus*). Goldfish (*Carassius auratus*) and Pumpkinseed (*Lepomis gibbosus*) are introduced species, the former from Italy, the latter having colonised the lake through the Strymon from Bulgaria. Lacking predators, both species have multiplied explosively.

There has been a strong decrease in Carp (*Cyprinus carpio*) since 1988-89, attributed mainly to overfishing. However, this is a species that spawns in shallow water among thick vegetation, therefore may be affected by the reduction of shallow areas and diminishing aquatic vegetation. There has also been a proportional increase of lower market value Cyprinidae species in the catches.

All indications point to a continuing decrease of commercial fish species, with a concurrent increase of coarse, non-marketable fish, that will eventually threaten the future of professional fishery in Lake Kerkini.

Close to 300 species of birds have been recorded in the lake basin and the surrounding mountains. Over 140 species breed in the area, 170 have been observed during migration and 134 species are present in winter.

υδρόβιας βλάστησης. Ταυτόχρονα με τη μείωση της αλιευτικής παραγωγής των Γριβαδιών, παρατηρήθηκε μια ανάλογη αύξηση της παραγωγής ειδών με χαμηλότερη εμπορική αξία, κυρίως ειδών της οικογενείας Cyprinidae.

Ολες οι ενδείξεις φανερώνουν μια συνεχή μείωση των σημαντικών εμπορικά ειδών με ταυτόχρονη αύξηση των μη εμπορεύσιμων ειδών, που απειλεί σοβαρά το μέλλον της επαγγελματικής αλιείας στη λίμνη Κερκίνη.

Περίπου 300 είδη πουλιών έχουν καταγραφεί στη λεκάνη της λίμνης και στα γύρω βουνά. Σχεδόν 140 είδη αναπαράγονται στην περιοχή, 171 είδη έχουν παρατηρηθεί κατά τη μετανάστευση και 134 είδη παραμένουν εκεί και το χειμώνα.

Οι αλλαγές που σημειώθηκαν στους πληθυσμούς των πουλιών που αναπαράγονται και ξεχειμωνιάζουν στην Κερκίνη, αντανακλούν ευθέως τις μεγάλες διαφοροποιήσεις των ενδιαιτημάτων που συνέβησαν μετά το 1982. Κάποιες απ' αυτές τις αλλαγές ήταν άμεσες και θεαματικές και άλλες - που έγιναν αντιληπτές μετά από καιρό - συνεχίζονται ακόμα, καθώς οι οικότοποι εξακολουθούν να εξελίσονται ανάλογα με τη συνεχιζόμενη ανύψωση των επιπέδων του νερού. Γενικά, παρατηρήθηκε αύξηση των ψαροφάγων πουλιών και αυτών που προτιμούν βαθύτερα, ανοιχτά νερά, σε βάρος των ειδών που προτιμούν κυρίως βαλτώδη ενδιαιτήματα.

Ο Καλαμοτριλιστής (*Locustella luscinioides*) και ο Καλαμόκιρκος (*Circus aeruginosus*), δύο είδη που αναπαράγονται αποκλειστικά σε καλαμώνες, σταμάτησαν να φωλιάζουν στην Κερκίνη σχεδόν αμέσως μετά την εξαφάνιση των καλαμιών. Καθώς τα υγρολίβαδα σκεπάζονταν προοδευτικά από ολοένα και βαθύτερο νερό, οι Καλαμοκανάδες (*Himantopus himantopus*) και τα Νεροχελίδονα (*Glareola pratincola*) σταμάτησαν επίσης να φωλιάζουν. Που και που, μοναχικά ζευγάρια Καλαμοκανάδων κατορθώνουν να βρούν κάποιες κατάλληλες τοποθεσίες για ν' αναθρέψουν τους νεοσσούς τους. Τα λίγα ζευγάρια Πετροτριλίδες (*Burhinus oedicnemus*) που φώλιαζαν στίς στεγνότερες περιοχές γύρω απ' την κοίτη του ποταμού εξαφανίστηκαν κι αυτά, όταν το ενδιαίτημά τους καταστράφηκε κατά την κατασκευή των αναχωμάτων. Μόνο ένα ζευγάρι παρουσιάζεται σποραδικά και ίσως να φωλιάζει ακόμα.

Ο αναπαραγόμενος πληθυσμός των Πρασινοκέφαλων παπιών (*Anas platyrynchos*), που χρειάζονται εκτεταμένα ρηχά βοσκοτόπια, έχει μειωθεί σοβαρά. Οι Κρυπτοτσικνιάδες (*Ardeola ralloides*), οι Χουλιαρομύτες (*Platalea leucorodia*) και οι Χαλκόκοτες (*Plegadis falcinellus*) τρέφονται κυρίως με ασπόνδυλα - και πολύ λιγότερο με ψάρια - χρειάζονται επομένως ρηχά, λασπώδη μέρη όπου μπορούν να βρούν τη λεία τους εύκολα. Και τα τρία είδη έχουν ελαττωθεί. Λιγότερα από 10 αναπαραγόμενα ζευγάρια Χαλκόκοτες απομένουν. Ειδικά το 1995 δεν φώλιασαν καθόλου, ενώ και κατά τη μετανάστευση οι αριθμοί τους ήταν μικροί και έμειναν ελάχιστα γύρω από τη λίμνη.

Αρνητικά έχουν επηρεαστεί και οι Σταχτόχηνες (*Anser anser*), επειδή φωλιάζουν πολύ νωρίς και το νερό, που ανεβαίνει αργότερα, καταστρέφει τις φωλιές τους. Το 1985 υπήρχαν 10 ζευγάρια, από τα οποία σήμερα έχουν απομείνει 3-5, χωρίς να υπάρχουν ενδείξεις επιτυχημένης αναπαραγωγής τα τελευταία χρόνια.

Αντίθετα, οι σχεδόν αποκλειστικά ψαροφάγοι Λευκοτσικνιάδες (*Egretta garzetta*), Νυχτοκόρακες (*Nycticorax nycticorax*) και Σταχτοτσικνιάδες (*Ardea cinerea*) έχουν ωφεληθεί εξαιρετικά από την αύξηση της βιομάζας των ψαριών και οι πληθυσμοί τους αυξήθηκαν πολύ μετά το 1982. Το ίδιο ισχύει και για τα καταδυτικά ψαροφάγα πουλιά, όπως τα Σκουφοβουτηχτάρια (*Podiceps cristatus*), τα Νανοβουτηχτάρια (*Tachybaptus ruficollis*) και οι Λαγγόνες (*Phalacrocorax pygmeus*). Οι Κορμοράνοι (*Phalacrocorax carbo*) φώλιασαν για πρώτη φορά στην Κερκίνη το 1986 σε νεκρά δένδρα στην περιφέρεια του δάσους. Στη δεκαετία που ακολούθησε, ο πληθυσμός τους κυριολεκτικά εκτινάχτηκε σε περισσότερα απο 1.800 ζευγάρια.

Τα βαλτογλάρονα (*Chlidonias niger, Chlidonias hybridus*) αύξησαν τους πληθυσμούς τους - ξεπερνώντας συνολικά τα 250 ζεύγη το 1990 - καθώς αναπτυσσόταν η συστάδα με τα Νούφαρα, αφού τα φύλλα τους παρείχαν πολύ καλύτερη στήριξη για τις φωλιές τους απ' ότι τα μικρότερα μακρόφυτα που φώλιαζαν προηγουμένως. Μικρές ομάδες από Ποταμογλάρονα (*Sterna hirundo*), Καστανοκέφαλους Γλάρους (*Larus ridibundus*) και Ασημόγλαρους (*Larus cacchinans*) φωλιάζουν ευκαιριακά σε βολικά σημεία.

Μερικά ζευγάρια Μαυροπελαργών (*Ciconia nigra*) φωλιάζουν στις δασωμένες λαγκαδιές του όρους Κερκίνη. Το καλοκαίρι ενήλικα και νεαρά παρατηρούνται συχνά να τρώνε στις λιμνούλες και τα ρηχά του ποταμού, στην κοίτη της Βυρώνειας, πάντα σε επιφυλακή, έτοιμα να πετάξουν με τη μικρότερη ενόχληση.

Η τελευταία επιβεβαιωμένη επιτυχής αναπαραγωγή του Θαλασσαετού (*Haliaaetus albicilla*) καταγράφηκε το 1989. Από τότε το ζευγάρι - ένα από τα 4 που απομένουν στην Ελλάδα - θεάται τακτικά πάνω από τη λίμνη, στο δάσος και στην περιοχή της φωλιάς, όμως δεν έχει κατορθώσει να μεγαλώσει νεοσσούς. Το 1995 μόνο ένα ενήλικο πουλί εντοπίστηκε στην περιοχή. Οι Τσίφτηδες (*Milvus migrans*) και 5-6 ζευγάρια Κραυγαετών (*Aquila pomarina*) φωλιάζουν σε κάποια σημεία, κυρίως στους πρόποδες της Κερκίνης και του Μαυροβουνίου και συχνά φαίνονται να γυροπετούν πάνω από τις άκρες της λίμνης ψάχνοντας για θήραμα.

Οι Πελαργοί (*Ciconia ciconia*) φωλιάζουν σ' όλα τα χωριά γύρω απ' τη λίμνη. Χτίζουν τις μεγάλες, ακατάστατες φωλιές τους σε στύλους της ΔΕΗ και του ΟΤΕ, τρούλους εκκλησιών και σκεπές σταύλων. Η μεγαλύτερη συγκέντρωση, με περισσότερες από 30 φωλιές, βρίσκεται στο χωριό Κερκίνη. Υπάρχουν πάνω απο 200 ζευγάρια στην ευρύτερη περιοχή. Είναι αξιοσημείωτο ότι φωλιάζουν σχεδόν αποκλειστικά σε κτίρια και στύλους, ενώ ο Chasen αναφέρει ότι ".... αναπαράγονται σχεδόν πάντα σε δένρα ...."

Ποταμοσφυριχτές (*Charadrius dubius*), Μελισσοφάγοι (*Merops apiaster*), λιγοστές Χαλκοκουρούνες (*Coracias garrulus*), Κουκουβάγιες (*Athene noctua*) και πολλά Κορακοειδή φωλιάζουν επίσης γύρω από τη λίμνη και το ποτάμι, κι ακόμα περισσότερα είδη στην ευρύτερη περιοχή.

Παρά την ανθρώπινη επέμβαση, η λίμνη Κερκίνη παραμένει ο σημαντικότερος υγρότοπος της Ελλάδας. Είναι το μόνο μέρος στη χώρα όπου 12 είδη αναπαράγονται μαζί, σε μικτές αποικίες. Είναι η σημαντικότερη περιοχή αναπαραγωγής για τους ερωδιούς της οικογένειας Ardeidae, τα δύο είδη κορμοράνων και τα βαλτογλάρονα και το μόνο

The changes recorded in the status of breeding and wintering birds directly reflect the major habitat modifications that occurred after 1982. Some of these changes were immediate and spectacular and others - detected over longer periods - still continue, as habitats continue to evolve in response to the ever rising water levels. Overall there has been an increase of piscivorous birds, or those preferring deeper, open water habitats, at the expense of species typically found in marsh habitats.

Savi's Warbler (*Locustella luscinioides*) and Marsh Harrier (*Circus aeruginosus*), both exclusive reedbed breeders, ceased nesting at Kerkini almost immediately, when reed covered areas vanished. As the wet meadows were progressively covered by deeper and deeper water, Black-winged Stilts (*Himantopus himantopus*) and Pratincoles (*Glareola pratincola*) also stopped nesting. Occasionally, isolated pairs of Stilts may manage to find suitable locations and rear their young. The few pairs of Stone Curlews (*Burhinus oedicnemus*) that bred in the dryer areas around the river bed disappeared as well, when their habitat was destroyed during the diking of the river. One pair has been sporadically sighted and may possibly still nest.

The breeding population of Mallards (*Anas platyrynchos*), birds that require extensive shallow feeding grounds, has severely dropped. Squacco Herons(*Ardeola ralloides*), Spoonbills (*Platalea leucorodia*) and Glossy Ibises (*Plegadis falcinellus*) feed mainly on invertebrates and much less on fish, and are, therefore, dependent on shallow, muddy areas where they can easily find their prey. All three species have declined. Indeed *Plegadis falcinellus* has been reduced to less than 10 pairs. In 1995 they did not breed at all - even in passage their numbers were small and they spent little time around the lake.

Greylag Geese (*Anser anser*) have also been negatively affected, because they nest early in the season and the rising water destroys their nests. By 1985 there were only 10 pairs that have now been reduced to only 3-5, but there has been no evidence of successful breeding in the last few years.

In contrast the almost exclusively piscivorous herons, Little Egrets (*Egretta garzetta*), Night Herons (*Nycticorax nycticorax*) and Grey Herons (*Ardea cinerea*) have greatly

benefited from the increase in fish biomass and populations of these species are far larger than prior to 1982. The same is true for diving fish-eating birds such as Great Crested Grebes (*Podiceps cristatus*), Little Grebes (*Tachybaptus ruficollis*) and Pygmy Cormorants (*Phalacrocorax pygmeus*). Cormorants (*Phalacrocorax carbo*) nested for the first time in Kerkini in 1986 on dead trees at the periphery of the forest. In the intervening decade their population has literally exploded to almost 1,800 pairs.

The marsh terns (*Chlidonias niger, Chlidonias hybridus*) increased in numbers - reaching a total of over 250 pairs in 1990 - when the *Nymphaea* bed developed, since the water-lilies provided much better support for their nests than the smaller macrophytes where they formerly nested. Small numbers of Common Terns (*Sterna hirundo*), Black-headed Gulls (*Larus ridibundus*) and Herring Gulls (*Larus cacchinans*) occasionally nest in suitable spots.

πλέον σημείο που φωλιάζουν Χαλκόκοτες. Η Κερκίνη συντηρεί τη δεύτερη μεγαλύτερη αναπαραγόμενη αποικία Λαγγόνων στην νότια Ευρώπη μετά το δέλτα του Δούναβη. Επίσης είναι η σπουδαιότερη τοποθεσία των Βαλκανίων για τις Χουλιαρομύτες και τις Χαλκόκοτες, είδη που έχουν ελαττωθεί σοβαρά σ'όλη την ήπειρό μας.

Δυστυχώς, η συνεχής και επιταχυνόμενη παρακμή του δάσους και της μακροφυτικής βλάστησης προμηνύει σκοτεινό μέλλον για τούς πληθυσμούς των αναπαραγόμενων πουλιών, εκτός κι αν παρθούν αυστηρά μέτρα για τη διατήρησή τους.

Οι μεταβολές στούς αριθμούς των παπιών, χηνών και παρυδάτων πουλιών που ξεχειμωνιάζουν στην Κερκίνη απο το 1982 και μετά, είναι πολύ διαφορετικές από αυτές που καταγράφηκαν σε άλλους Ελληνικούς υγρότοπους στο ίδιο χρονικό διάστημα και προφανώς σχετίζονται με τις αλλαγές στα ενδιαιτήματα.

Πριν το 1984, η λίμνη Κερκίνη ήταν ο σημαντικότερος τόπος ξεχειμωνιάσματος στην Ελλαδα για τις Λιμόζες (*Limosa limosa*), με μέσο πληθυσμό 3.000 ατόμων. Μετά την οριστική κατάκλυση της παλιάς παρόχθιας ζώνης, ο πληθυσμός τους ελαττώθηκε σε λιγότερα από 200 άτομα. Παρεμπιπτόντως, τα πουλιά που εξαφανίστηκαν από την Κερκίνη δεν έχουν από τότε εντοπιστεί σε κάποιον άλλο υγρότοπο. Παρομοίως οι Λασποσκαλίδρες (*Calidris alpina*) μειώθηκαν, από ένα μέσο όρο 500 ατόμων σε λιγότερα από

50, και οι Αβοκέττες (*Recurvirostra avosetta*) έπεσαν από τον μέσο όρο των 1.500 σε λιγότερα από 100 πουλιά. Και τα τρία είδη τρέφονται κυρίως με ασπόνδυλα που βρίσκουν μέσα ή πάνω σε λάσπη. Αλλα παρυδάτια πουλιά εμφανίζονταν σε πολύ μικρούς αριθμούς και δεν επηρεάστηκαν σημαντικά.

Η έκταση των λασποτόπων που ξεσκεπάζονται, όταν το νερό πλησιάζει την χαμηλότερη του στάθμη φαίνεται να μεγαλώνει αργά λόγω των προσχώσεων, όμως δεν προσελκύει τα πουλιά. Δειγματοληψίες έδειξαν ότι τα ασπόνδυλα απουσιάζουν σχεδόν τελείως από το έδαφος, μάλλον επειδή τα λασποτόπια αυτά σκεπάζονται από 4 μέτρα θολού, υποξικού νερού την άνοιξη και το καλοκαίρι.

Οι πάπιες επιφανείας γενικά επηρεάστηκαν αρνητικά από τις νέες συνθήκες. Οι Καπακλήδες (*Anas strepera*) και τα Σφυριχτάρια (*Anas penelope*) πρακτικά εξαφανίστηκαν από τη λίμνη για λίγα χρόνια αλλά επέστρεψαν στους προ του 1982 αριθμούς μέχρι το 1990. Οι πληθυσμοί της Χουλιαρόπαπιας (*Anas clypeata*) και της Ψαλίδας (*Anas acuta*) αρχικά μειώθηκαν ελαφρά αλλά σύντομα ανέκαμψαν.

Οι Πρασινοκέφαλες πάπιες και οι Σαρσέλλες (*Anas crecca*), μειώθηκαν δραματκά μετά το 1988, από μέσο όρο 20.000 ατόμων για κάθε είδος, σε μέσο όρο μικρότερο από 5.000 πουλιά. Και τα δύο είδη προτιμούν να βόσκουν σε βάθος 15-25 εκατοστών και επηρεάστηκαν από την εξάλειψη των περιοχών με πολύ ρηχά νερά. Η ελάττωση των υπολίμνιων λειμώνων και της υφυδατικής βλάστησης πιθανότατα μείωσε την ποσότητα της τροφής τους. Οι αριθμοί τους άρχισαν ξανά να αυξάνονται μετά το 1992. Οι Ασπρομετωπόχηνες (*Anser albifrons*) και οι Βαρβάρες (*Tadorna tadorna*), παρουσίασαν παρόμοια εξέλιξη καθυστερημένης μείωσης μέχρι το 1991-1992 και επανόδου στους προηγούμενους αριθμούς τους.

Μέχρι το 1992 οι συνολικοί χειμωνιατικοι πληθυσμοί των χηνοπαπιών δεν ξεπερνούσαν τις 30.000-40.000 πουλιά. Μετά το 1992, η στάθμη του νερού το χειμώνα αυξήθηκε, σε +32 μ το 1993 και σχεδόν +33 μ το 1994. Αντίστοιχα μεγάλωσε η έκταση των ρηχών νερών και τεράστια κοπάδια άρχισαν να συγκεντρώνονται στις ρηχές, ξεπερνώντας τις 80.000 πουλιά. Το 1993 και το 1994 ξεχειμώνιασαν στην Κερκίνη περισσότερες από 2.000 Ασπρομετωπόχηνες, που πετούσαν σε τεράστιους σφηνοειδείς σχηματισμούς απ' τα ρηχά κοντά στο δάσος πρός τα λιβάδια απέναντι από το Μανδράκι. Μαζί τους παρατηρήθηκαν και λίγες Νανόχηνες (*Anser erythropus*) και Χωραφόχηνες (*Anser fabalis*).

Οι καταδυτικές πάπιες, όπως τα Σβουρδούλια (*Aythya ferrina*) και τα βουτηχτάρια (*Tachybaptus ruficollis*, *Podiceps nigricollis* και *Podiceps cristatus*) αυξήθηκαν σημαντικά, όπως και οι Φαλαρίδες (*Fulica atra*)· οι σημερινοί πληθυσμοί των τελευταίων ανέβηκαν, απο το μέσο όρο των 500 πουλιών σε περισσότερα από 4.500 άτομα μετά το 1982.

Τα ψαροφάγα είδη ευνοήθηκαν από το σχηματισμό της πελαγικής ζώνης. Περίπου 3.000-4.000 Κορμοράνοι και ανάλογος αριθμός από Λαγγόνες ξεχειμωνιάζουν τώρα γύρω από τη λίμνη, που επίσης είναι ένα από τα σημαντικότερα μέρη ξεχειμωνιάσματος στην ανατολική Ευρώπη για τούς Αργυροτσικνιάδες (*Egretta alba*). Μέχρι το 1982 μαζεύονταν εκεί περίπου 500-1.000 άτομα που αποτελούσαν το 40-50% του συνολικού πληθυσμού του Ευρωπαϊκού υποείδους. Τα τελευταία χρόνια οι αριθμοί τους έχουν μειωθεί και φθάνουν τα 200-300 άτομα.

Οι Κύκνοι (*Cygnus olor*), είναι συνηθισμένοι χειμερινοί επισκέπτες σε μικρούς αριθμούς· έχουν αναφερθεί και Αγριόκυκνοι (*Cygnus cygnus*). Οι Νανόκυκνοι (*Cygnus columbianus*), ταξιδιώτες απ' την Αρκτική, από τα σπανιότερα είδη που επισκέπτονται τη νότια Ευρώπη, εμφανίζονται στη λίμνη κάθε χρόνο μετά το 1992.

Οι τεράστιοι αριθμοί των υδρόβιων πουλιών προσελκύουν πολυάριθμα αρπακτικά το χειμώνα, κυρίως ανώριμα άτομα. Οι Στικταετοί (*Aquila clanga*) είναι τακτικοί επισκέπτες - έχουν αναφερθεί μέχρι 12 μαζί - και κουρνιάζουν σε γυμνά κλαδιά στο δάσος. Εμφανίζονται επίσης Θαλασσαετοί, που συχνα κυνηγούν πάνω από τις ρήχες, τρομοκρατώντας τις πάπιες και τις χήνες ή διαγράφουν τεμπέλικα κύκλους πάνω απ' τις παρυφές της

Several pairs of Black Storks (*Ciconia nigra*) nest in the wooded ravines of mount Kerkini. In summer the families are regularly observed feeding in the pools and shallows of the Vironia bed, always wary, ready to fly away at the slightest disturbance.

The last confirmed successful reproduction of White-tailed Eagle (*Haliaaetus albicilla*) was recorded in 1989. Since then the pair - one of the last four remaining in Greece - has been regularly observed over the lake, in the forest and in the vicinity of the nest, but no chicks have been reared. In 1995 only one adult bird was seen in the area. Black Kites (*Milvus migrans*) and 5-6 pairs of Lesser Spotted Eagles (*Aquila pomarina*) breed in several places, mostly in the undulating foothills of Mavrovouni and Kerkini and they are often seen soaring over the edges of the lake in search of prey.

White Storks (Ciconia ciconia) nest in all the villages around the lake, their large, untidy nests adorning utility poles, curch cupolas and barn roofs. The largest concentration, over 30 nests, occurs in the village of Kerkini; there are well over 200 pairs in the wider area. It is interesting to note that nowadays they nest almost exclusively on buildings and utility poles, while Chasen mentions that ".... they breed almost always on trees ...."

Little Ringed Plovers (*Charadrius dubius*), Beeaters (*Merops apiaster*), the occasional Roller (*Coracias garrulus*), Little Owls (*Athene noctua*) and Corvids also nest around the lake and the river bed and many more species in the wide area.

Lake Kerkini still remains the most important wetland in Greece, despite human intervention. It is the only place in our country where 12 species breed together in mixed-species colonies. It is the most important breeding area for Ardeid herons, the two cormorant species and marsh terns and the only breeding location for Glossy Ibises. Kerkini supports the second largest breeding colony of Pygmy Cormorants in southern Europe, after the Danube delta. It is also a site of prime importance in the Balkans for Spoonbills and Ibises, species that have severely declined all over our continent.

Sadly, the continuing acceleration in the decline of the forest and macrophytic vegetation augurs a bleak future for breeding bird populations, unless some specific conservation measures are enforced.

The changes in the numbers of wildfowl and shorebirds overwintering at Kerkini after 1982 are quite different from changes registered in other Greek wetlands over the same period, and are thus related to habitat changes.

Prior to 1984, Lake Kerkini was the most important wintering site for Black-tailed Godwits (*Limosa limosa*) in Greece, with a mean population of 3,000 individuals. After the permanent submersion of the former littoral zone, in 1984, their numbers fell to less than 200 individuals. Incidentally, the birds that vanished from Kerkini have not since reappeared in any other wetland. Similarly Dunlins (*Calidris alpina*) have declined, from a mean of 500 individuals to less than 50 and Avocets (*Recurvirostra avosetta*) decreased from a mean of 1,500, down to less than 100 birds. All three species feed mostly on invertebrates living in or on mudflats. Other shorebirds appeared in very small numbers and have not been significantly affected.

The area of mudflats presently exposed at low water levels appears to be slowly increasing because of siltation, but they are not attractive to shorebirds. Sampling has shown them almost devoid of invertebrates, probably because they lie under 4 m of turbid, anoxic water during the spring and summer.

Dabbling ducks generally showed a negative response to the new conditions. Gadwall (*Anas strepera*) and Widgeon (*Anas penelope*) practically disappeared from the lake for a few years but returned to their pre-1982 numbers by 1990. Shovellers (*Anas clypeata*) and Pintails (*Anas acuta*) also slightly decreased initially and then recovered.

Mallard and Teal (*Anas crecca*), declined dramatically after 1988, from a mean of 20,000 individuals for each species, to a mean of less than 5,000 birds. Both species prefer to forage in depths of 15-25 cm, and were affected by the elimination of shallow water areas. The decrease in the areas of aquatic grasses and submerged rhizophytic vegetation also reduced the quantity of food available for them. Their numbers started to increase again after 1992. White-fronted Geese (*Anser albifrons*) and Shelducks (*Tadorna tadorna*) followed a similar pattern of delayed decline up to 1991-1992 and then regained their former numbers.

Until 1992, the total wintering wildfowl population was not greater than 30,000-40,000 birds. After 1992 winter water levels increased, to 32 m a.s.l. in 1993 and close to 33 m a.s.l. in 1994. The area of shallow water increased accordingly and tremendous concentrations of ducks gathered in the shallows, exceeding 80,000 birds. In 1993 and 1994, over 2,000 *Anser albifrons* overwintered in Kerkini, forming huge V-formations as they moved back and forth from the shallows near the forest to the meadows opposite Mandraki. Small numbers of Lesser White-fronted Geese (*Anser erythropus*) and Bean Geese (*Anser fabalis*) have been observed with them.

Diving ducks, like Pochard (*Aythya ferina*) and grebes (*Tachybaptus ruficollis, Podiceps nigricollis* and *Podiceps cristatus*) increased significantly as did Coot (*Fulica atra*); populations of the latter jumped from a mean of 500 birds to

λίμνης. Βασιλαετοί (*Aquila heliaca*), Πετρίτες (*Falco peregrinus*), Νανογέρακα (*Falco columbarius*), λίγοι Βαλτόκιρκοι (*Circus cyaneus*) και, ευκαιριακά, κάποιος Χρυσογέρακας (*Falco biarmicus*) και Μπούφοι (*Bubo bubo*), εμφανίζονται γύρω απ' το δάσος. Οι Γερακίνες (*Buteo buteo*) μαζεύονται σε μεγάλους αριθμούς και πρόσφατα ένας ή δύο Κραυγαετοί έχουν αρχίσει να μένουν εκεί και το χειμώνα (θεάθηκαν το 1993 και το 1994).

Η Κερκίνη είναι επίσης η σπουδαιότερη περιοχή ξεχειμωνιάσματος στην Ευρώπη για τους Αργυροπελεκάνους (*Pelecanus crispus*). Είχαν καταγραφεί περισσότερα από 600 άτομα, μαζί με μικρότερους αριθμούς από Ροδοπελεκάνους (*Pelecanus onocrotalus*) μέχρι το 1990. Από τότε οι αριθμοί αυτοί έχουν αυξηθεί και τα πουλιά που δεν αναπαράγονται μένουν στην λίμνη πέρα απ' το χειμώνα, μέχρι αργά την άνοιξη, ίσως και όλο το καλοκαίρι, επωφελούμενα από την αφθονία των ψαριών. Στις αρχές Οκτωβρίου του 1994, όταν η στάθμη του νερού ήταν ιδιαίτερα χαμηλή, καταμετρήθηκαν στην λίμνη 800 Ροδοπελεκάνοι και 1.200 Αργυροπελεκάνοι, γεγονός που υπογραμμίζει τη μεγάλη σπουδαιότητα της περιοχής αν σκεφτεί κανείς πως ο παγκόσμιος πληθυσμός των Αγυροπελεκάνων υπολογίζεται σε 4.000 ζευγάρια.

Το λεκανοπέδιο του Στρυμόνα πρέπει να ήταν ζωτικό σημείο για τη μετανάστευση των πελεκάνων απ' τους αρχαίους χρόνους, μια και ο Αριστοτέλης αναφέρει πως "…. οι πελεκάνοι μεταναστεύουν, και πετούν απ' το Στρυμόνα πρός τον Ίστρον (Δούναβης) όπου αναπαράγονται. Αναχωρούν σ' ένα κοπάδι, κι αυτοί που είναι μπροστά περιμένουν τους πίσω, επειδή, μόλις περάσουν τα βουνά, αυτοί που είναι πίσω γίνονται αθέατοι για τούς μπροστά …."

Τα Φοινικόπτερα (*Phoenicopterus ruber*) εμφανίζονται στο τέλος του καλοκαιριού και, μερικές φορές, λιγοστά μένουν και το χειμώνα. Κατά τη μετανάστευση Ψαραετοί (*Pandion haliaetus*), Γερανοί (*Grus grus*), Γελαδάρηδες (*Bubulcus ibis*) και αμέτρητα παρυδάτια, πελαργοί, αρπακτικά, πάπιες και χήνες περνούν απ' την περιοχή, σταματώντας συχνά για να βοσκήσουν και να ξεκουραστούν.

Η ερπετοπανίδα της λίμνης Κερκίνης έχει μελετηθεί ελάχιστα, όμως οι διαθέσιμες πληροφορίες δείχνουν αξιόλογη ποικιλία ειδών. Στην περιφέρεια της λίμνης και στα γύρω βουνά έχουν καταγραφεί 14 είδη ερπετών, ενώ 4 ακόμα συναντώνται στην ευρύτερη περιοχή. Υπάρχουν επίσης ανεξακρίβωτες πληροφορίες για 8 ακόμα είδη. Επτά είδη αμφιβίων κατοικούν στη λεκάνη της λίμνης και άλλα τρία στην ορεινή ζώνη, ενώ η παρουσία του Λοφιοφόρου Τρίτωνα (*Triturus cristatus*) δεν έχει επιβεβαιωθεί.

Οι πληθυσμοί των Νερόφιδων (*Natrix natrix* και *Natrix tessellata*) στη λίμνη ήταν τεράστιοι μέχρι τα μέσα της δεκαετίας του 1980, κατόπιν όμως άρχισαν να μειώνονται. Σήμερα συναντώνται λιγότερο συχνά. Συνήθως τριγυρίζουν στις συστάδες των νούφαρων ή λιάζονται στα βράχια των αναχωμάτων, πολύ σπάνια σε μεγάλες ομάδες. Η πλούσια υδρόβια βλάστηση και τα ψηλά επίπεδα του νερού ευνόησαν τους Λιμνοβάτραχους (*Rana ridibunda*) - που είναι σίγουρα το αφθονότερο είδος - και τους Πηδοβάτραχους (*Rana dalmatina*). που συναντώνται στο παράχθιο δάσος, σε αρδευτικά κανάλια, αποχετευτικές τάφρους και σε κάθε υγρό μέρος στα καλλιεργημένα χωράφια και στις χαμηλότερες βουνοπλαγιές. Οι Πρασινόσαυρες (*Lacerta viridis*), οι Δενδροβάτραχοι (*Hyla arborea*), οι Βαλτοχελώνες (*Emys orbicularis*) και οι Ποταμοχελώνες (*Mauremys caspica*) βρίσκονται παντού στην περιοχή και παρατηρούνται συχνά.

Πολύ λίγες πληροφορίες υπάρχουν για τα θηλαστικά της περιοχής και η κατάσταση ολοκλήρων ταξινομικών οικογενειών παραμένει αδιευκρίνιστη. Οι Αλεπούδες (*Vulpes vulpes*) είναι το κοινότερο σαρκοφάγο είδος και φωλιάζουν ανάμεσα στην πυκνή, χαμηλή βλάστηση σε πολλά σημεία γύρω από τη λίμνη. Αγριόγατες (*Felis silvestris*) εμφανίζονται συχνά, ιδιαίτερα τη νύχτα και σε αρκετά μέρη παρατηρούνται ίχνη και σημάδια από Βίδρες (*Lutra lutra*), αν και οι ίδιες είναι εξαιρετικά δύσκολο να εντοπιστούν. Βίδρες συναντώνται και σε πολλά από τα ρέματα και τους χείμαρρους στα βουνά, υπάρχουν όμως ενδείξεις πως ο πληθυσμός τους μειώνεται. Στα γύρω βουνά υπάρχουν επίσης Ζαρκάδια (*Capreolus capreolus*) και Αγριογούρουνα (*Sus scrofa*) ενώ καμμιά φορά το χειμώνα εμφανίζονται και Λύκοι (*Canis lupus*) οι οποίοι σπάνια κατεβαίνουν στην λίμνη. Τα Τσακάλια (*Canis aureus*), που ήταν κάποτε άφθονα στα παραποτάμια δάση εξαφανίστηκαν μετά τα τέλη της δεκαετίας του 1980 όταν χάθηκαν οι καλαμώνες και κόπηκαν τα δάση. Οι πληθυσμοί και η οικολογία των θηλαστικών στην περιοχή της Κερκίνης πρέπει να μελετηθούν επειγόντως, ώστε να καθοριστούν οι ανάγκες για την προστασία τους.

Ο υγρότοπος της Κερκίνης και η άγρια ζωή που συντηρεί βρίσκονται κάτω από πίεση από πολλούς διαφορετικούς παράγοντες. Οι πλέον καταστροφικοί ανάμεσά τους είναι η το μεγάλο εύρος της ετήσιας διακύμανσης της στάθμης του νερού και η υπερβολικά ψηλή μέγιστη στάθμη κατά τη διάρκεια της άνοιξης και του καλοκαιριού.

Το υγροτοπικό δάσος, ενδιαίτημα με απαράμιλλη σημασία για τα υδρόβια πουλιά της Κερκίνης, είναι απίθανο να επιζήσει ακόμα και μεσοπρόθεσμα, αν διατηρηθεί το σημερινόν υδρολογικό καθεστώς. Δεν έχει παρατηρηθεί φυσική αναγέννηση μετά το 1978 και πολλά ζωντανά δένδρα έχουν πέσει στο έδαφος καθώς οι κοντές τους ρίζες δεν μπορούν να τα συγκρατήσουν στο μαλακό, νοτισμένο χώμα.

Οι περιοχές με ρηχά νερά, απαραίτητες για τα ψάρια και τα αμφίβια που γεννούν εκεί τα αυγά τους, ιδανικοί χώροι τροφοληψίας για τα πουλιά, συνεχώς ελαττώνονται. Ταυτόχρονα φθίνουν και οι συστάδες της υδρόφιλης μακροφυτικής βλάστησης. Καθώς το νερό σκεπάζει ολοένα και μεγαλύτερη έκταση, τα λιβάδια γύρω από τη λίμνη περιορίζονται και η πίεση από τη βοσκή εντείνεται. Το πρόβλημα της επάρκειας των βοσκοτόπων γίνεται ιδιαίτερα οξύ για ένα μικρό χρονικό διάστημα στο τέλος του καλοκαιριού κάθε χρόνο. Εκείνη την εποχή κατεβαίνουν από τα θερινά λιβάδια, ψηλά στην οροσειρά της Κερκίνης, γύρω στα 4.000-5.000 αιγοπρόβατα, που πρέπει κι αυτά να βοσκήσουν στα λιβάδια γύρω στη βόρεια και δυτική όχθη, τουλάχιστον μέχρι την αρχή των βροχών.

Τα αναπαραγόμενα πουλιά υφίστανται μεγάλες απώλειες σε αυγά και νεοσσούς λόγω της συνεχιζόμενης ανύψωσης της στάθμης του νερού μετά την φωλεοποίηση. Έχουν επίσης αναγκαστεί να μετακινήσουν την θέση της αποικίας επανηλειμμένα, καθώς τα δένδρα πεθαίνουν. Όταν

more than 4,500 individuals after 1982.

Fish-eating species benefited from the formation of the pelagic zone. Approximately 3,000-4,000 Cormorants and similar numbers of Pygmy Cormorants now remain around the lake in winter. This is one of the most import and wintering sites for Great White Egret (*Egretta alba*) in eastern Europe. Until 1982, some 500-1,000 individuals gathered there, constituting 40-50% of the total population of the nominate race. In recent years their numbers have been somewhat reduced to 200-300 individuals.

Mute Swans (*Cygnus olor*) are common winter visitors in small numbers and Whooper Swans (*Cygnus cygnus*) have also been recorded. The arctic wanderers, Bewick's Swans (*Cygnus columbianus*), among the rarest visitors of southern Europe, have been present in the lake every year since 1992.

The prodigious numbers of waterbirds attract numerous raptors in the winter, mostly immature birds. Spotted Eagles (*Aquila clanga*) are regular visitors - up to 12 have been recorded - roosting on bare branches in the forest. White-tailed Eagles also appear, often hunting over the shallows, terrifying the wildfowl into flight, or soaring in lazy circles over the edges of the lake. Imperial Eagles (*Aquila heliaca*), Peregrine Falcons (*Falco peregrinus*), Merlins (*Falco columbarius*), a few Hen Harriers *(Circus cyaneus)* and the occasional Lanner (*Falco biarmicus*) and Eagle Owls (*Bubo bubo*) appear around the forest; Buzzards (*Buteo buteo*) gather in large numbers and recently, one or two Lesser Spotted Eagles have taken to spending the winter there (seen in 1993 and 1994).

Kerkini is also the most important winter roosting site in the whole of Europe for Dalmatian Pelicans (*Pelecanus crispus*). Over 600 individuals were recorded there, along with smaller numbers of White Pelicans (*Pelecanus onocrotalus*) until 1990. Since then their numbers have risen and the birds tend to stay longer, well into the spring and for non-breeders, even throughout the summer, taking advantage of the abundance of fish. In early Octomber 1994, when the water level was especially low, 800 White and 1,200 Dalmatian Pelicans were recorded in the lake, a fact that underlines its great importance when one considers that the total world population of *Pelecanus crispus* is estimated at 4,000 pairs.

The Strymon basin must have been a vital staging post in the migration of pelicans since ancient times, since Aristotle mentions that ".... Pelicans too migrate, and fly from the Strymon to the Ister (Danube) and there produce young. They depart in a flock, those in front waiting for those behind, because, after flying over the mountains, those behind become invisible to those in front...."

Flamingos (*Phoenicopterus ruber*) appear in late summer, a few of them occasionally remaining through the winter. During migration Ospreys (*Pandion haliaetus*), Cranes (*Grus grus*), Cattle Egrets (*Bubulcus ibis*) and countless waders, storks, raptors and wildfowl pass through the area, often stopping to rest and feed.

The herpetofauna of Lake Kerkini is far from completely studied, but the available information indicates a considerable diversity of species. In the lake area and the surrounding mountains, 14 species of reptiles have been recorded, while another 4 occur in the general region. Undocumented information also exists for 8 more species. Seven species of amphibians have been registered in the lake basin and three more in the mountainous zone, while the presence of Crested Newt (*Triturus cristatus*) has not been confirmed.

The numbers of Grass Snakes (*Natrix natrix*) and Dice Snakes (*Natrix tessellata*) in the lake were enormous until the mid 1980s but then started to decline. Presently they are less often seen, mostly around the water-lily beds or basking on the rocks of the embankments and very seldom in large groups. The rich aquatic vegetation and the high water levels have benefited Marsh Frogs (*Rana ridibunda*), by far the most abundant species, and Agile Frogs (*Rana dalmatina*). The latter occupy the riparian forest, irrigation canals, drainage ditches and all wet habitats in the cultivated areas as well as on the lower elevations of the mountains. Green Lizards (*Lacerta viridis*), Tree Frogs (*Hyla arborea*), Pond Terrapins (*Emys orbicularis*) and Stripe-necked Terrapins (*Mauremys caspica*) are widespread and commonly observed.

Very little in formation is available about the mammals of the area. Foxes (*Vulpes vulpes*) are probably the most common carnivore, nesting amidst the tangled undergrowth in many places around the lake. Wild Cats (*Felis silvestris*) are often seen at night and the signs of Otters (*Lutra lutra*) are frequently found, even though the animals are elusive and difficult to locate. Otters are also present along many of the small streams in the mountains, however there are indications that their population is declining. Roe Deer (*Capreolus capreolus*) and Wild Boar (*Sus scrofa*) are present in the mountains and Wolves (*Canis lupus*) occasionally appear in the winter, rarely venturing down to the lake. Jackals (*Canis aureus*), once common in the bottomland forests, have vanished since the mid-1980s, when the reedbeds disappeared and the forests were cut. Studies on mammal population sizes and ecology are urgently needed so that their conservation requirements can be properly assessed.

The wetland of Kerkini and its wildlife are under constant pressure from many different factors. The most damaging are the wide amplitude of water levels and the high maximum levels during spring and early summer.

The riparian forest, a habitat of paramount importance for the birds of Kerkini, is unlikely to survive even in the medium-term future, if the present hydrological regime is maintained. There has been no natural regeneration since 1987 and many live trees have fallen down because their short roots cannot stabilise them in the soft, damp soil.

Shallow areas, essential spawning grounds for fish and amphibians and feeding grounds for birds, become progressively fewer. The hydrophytic stands are also rapidly declining. As the water covers more and more land, the pastures available next to the lake are reduced and grazing pressure intensifies, preventing the re-establishment of reeds and other emergent vegetation. Grazing problems become even more acute for a short period at the end of summer every year, when the meadows around the northern and western shores have to support an additional 4,000-5,000 sheep and goats that move down from their summer pastures on the Kerkini range.

Nesting birds suffer considerable losses in eggs and nestlings as a result of the late increase in water levels. They

εξαφανίστηκαν οι καλαμώνες, τα πουλιά φώλιασαν στο δάσος, μεταξύ της νέας και της παλιάς κοίτης του Στρυμόνα, μέχρι το 1988. Το 1989, υπήρξε μια μεγάλη μετακίνηση σε άλλο σημείο, κοντά στο δυτικό άκρο του δάσους. Μετά το 1992, τα δένδρα σ' αυτό το σημείο άρχισαν να αραιώνουν και τα πουλιά χρησιμοποίησαν και μια δεύτερη, πυκνότερη τοποθεσία. Ως το 1995, τα περισσότερα πουλιά είχαν μετακινηθεί στην τελευταία αυτή θέση.

Η ψηλή στάθμη του νερού επηρεάζει και τους ανθρώπους γύρω από τη λίμνη. Μερικά από τα χωριά, η Κερκίνη, τα Χρυσοχώραφα, το Λιμνοχώρι και το Μεγαλοχώρι, βρίσκονται χαμηλότερα από την επιφάνεια του νερού όταν η στάθμη ξεπερνά τα +36 μ. Το νερό διηθείται μέσα απ' τα αναχώματα μετατρέποντας το έδαφος σε βάλτο, γεμίζει τα υπόγεια των σπιτιών και πλημμυρίζει τα χωράφια. Οι κάτοικοι του Λιμνοχωρίου αναγκάστηκαν να μεταφέρουν το νεκροταφείο του χωριού τους, καθώς οι τάφοι γέμιζαν νερό.

Επιπλέον, αν η στάθμη του ταμιευτήρα βρίσκεται τόσο ψηλά, θα είναι αδύνατον να συγκρατήσει μια ξαφνική πλημμύρα μεγάλου όγκου με πιθανώς καταστροφικά αποτελέσματα για τα παραλίμνια χωριά αλλά και γι' αυτά που βρίσκονται κατά μήκος της κοίτης του ποταμού, κατάντι του φράγματος.

Η λογική και προφανής λύση για όλα αυτά τα προβλήματα θα ήταν η μείωση του υδάτινου όγκου που αποθηκεύεται στον ταμιευτήρα και η ελάττωση της στάθμης σε επίπεδο που να μην επιφέρει αρνητικές επιπτώσεις στην χλωρίδα και την πανίδα και που, ταυτόχρονα, θα βελτιώσει τις αντιπλημμυρικές δυνατότητες της λίμνης.

Δυστυχώς αυτή η περιστολή του αρδευτικού ρόλου της Κερκίνης αποτελεί την εστία μιας δυναμικής αντιπαράθεσης, με τους γεωργούς του κάμπου των Σερρών και τις κρατικές υπηρεσίες που διαχειρίζονται τα νερά στην μία πλευρά, ενώ στην άλλη βρίσκονται οι κάτοικοι των παραλίμνιων χωριών και οι οικολογικές οργανώσεις, τοπικές και διεθνείς. Οι πρώτοι θεωρούν τη λίμνη αποκλειστικά και μόνο σαν ταμιευτήρα νερού και αδιαφορούν γαι την τεράστια οικολογική της αξία και οι δεύτεροι επιδιώκουν μια πιό ορθολογική συνολική διαχείριση, που θα εξασφαλίσει την προστασία και τη διατήρηση αυτού του ανυπολόγιστης αξίας υγρότοπου.

Το πνεύμα με το οποίο αντιμετωπίζουν οι τεχνικές υπηρεσίες τα τεράστια προβληματα του οικοσυστήματος της Κερκίνης διαφαίνεται από μελετη της Υπηρεσίας Εγγείων Βελτιώσεων του νομού Σερρών, που εκδόθηκε το Σεπτέμβριο 1995. Η μελέτη αυτή επισημαίνει τις ελλείψεις και ατέλειες του αρδευτικού δικτύου της πεδιάδας των Σερρών και προτείνει τρόπους αντιμετώπισής τους, αγνοεί όμως παντελώς τις επιδράσεις των έργων στο περιβάλλον και φτάνει να αμφισβητεί το καθεστώς προστασίας του υγρότοπου, αναφέροντας "*.... Κανένας δεν εξουσιοδότησε κανέναν, ώστε να δεσμευτεί "εν έτει 1971" στο μακρυνό Ραμσάρ της Περσίας, ενώπιον του αείμνηστου τότε Σάχη, ότι θα προστατευτεί ο υγροβιότοπος με αντίτιμο τον οικονομικό μαρασμό του Νομού.*"

Όταν τελείωσαν τα έργα της πρώτης φάσης το 1983, είχε ήδη σχεδιαστεί μιά δεύτερη φάση που θα περιλάμβανε περαιτέρω ανύψωση των αναχωμάτων, έργα προστασίας και τροποποίηση της κοίτης κατάντι της Κερκίνης καθώς και βελτίωση και επέκταση του αρδευτικού συστήματος της πεδιάδας. Οι τεχνικές μελέτες ολοκληρώθηκαν το 1989 και προτείνουν ανύψωση της στέψης των αναχωμάτων στα +41 μ και της στάθμης άρδευσης στα +37,6 μ ή και παραπάνω, ώστε να συγκεντρώνεται αρκετό νερό για επέκταση των καλλιεργειών στο 1.000.000 στρέμματα, όπως σχεδιάζουν από παλιά οι διοικητικές υπηρεσίες του Νομού.

Η μόνη πιθανή κατάληξη αν εκτελεστεί αυτό το σχέδιο θα είναι η ολοκληρωτική καταστροφή του υγρότοπου. Οι ρηχές περιοχές θα εκλείψουν, η υδρόβια βλάστηση θα χαθεί "εν μια νυκτί", και η μεγαλύτερη, ίσως και όλη η έκταση του δάσους, θα σκεπαστεί τελείως από νερό. Μια και τα δένδρα δεν μπορούν να επιζήσουν την πλήρη βύθιση για περισσότερες από 2-3 μέρες, μέσα σε ένα ή δύο χρόνια το δάσος θα πεθάνει. Η εξάλειψη της παρόχθιας ζώνης και της υπερυδατικής βλάστησης θα ξεκληρήσει και την πανίδα της λίμνης. Η Κερκίνη θα γίνει ένας άψυχος, στείρος ταμιευτήρας, όπως και τόσοι άλλοι στη χώρα μας, πραγματικό δημιούργημα του ανθρώπου.

Είναι πραγματικά αξιοσημείωτο πως μέσα στο ΥΠΕΧΩΔΕ, μια Διεύθυνση αγωνίζεται για την προστασία του οικοσυστήματος της Κερκίνης σύμφωνα με τη Συνθήκη Ραμσάρ και τις Οδηγίες της Ευρωπαϊκής Ένωσης, ενώ ταυτόχρονα μια άλλη Διεύθυνση προωθεί σχέδια που θα οδηγήσουν στην ολοκληρωτική καταστροφή του.

Αν και η υλοτομία απαγορεύεται μέσα στη ζώνη προστασίας, οι κάτοικοι των γύρω χωριών εξακολουθούν να θεωρούν το δάσος σαν μια βολική πηγή ξυλείας, εύκολα προσιτή το φθινόπωρο και το χειμώνα, όταν τα νερά υποχωρούν. Συνήθως μάλιστα κόβουν τα πιό μεγάλα, ψηλότερα δένδρα, εκείνα που θα είχαν περισσότερες πιθανότητες να επιζήσουν από την κατάκλυση, εκείνα που θα πρόσφεραν περισσότερες και ευνοϊκότερες θέσεις φωλιάσματος για τα πουλιά.

Η υλοτομία επηρεάζει τα πουλιά και στην περιφέρεια της λίμνης. Το 1990, ο ιδιοκτήτης μιας φυτείας λευκών κοντά στο Λιμνοχώρι αποφάσισε να κόψει τα δένδρα, μετά την έναρξη της αναπαραγωγικής περιόδου, παρά το ότι οι Σταχτοτσικνιάδες είχαν ήδη φτιάξει φωλιές πάνω σ' αυτά. Το 1987 κατά τη διάρκεια υλοτομιών στους πρόποδες του Μαυροβουνίου κόπηκε δένδρο πάνω στο οποίο βρισκόταν μια από τις φωλιές του ζευγαριού των Θαλασσαετών. Επιπλέον η κατασκευή δασικών δρόμων στα βουνά για τους ξυλοκόπους, κάνει ευκολότερη την πρόσβαση και αυξάνει τις πιθανότητες ενόχλησης των αρπακτικών που φωλιάζουν, ίσως και τη λαθροθηρία.

Το βόρειο τμήμα της λίμνης, είχε ανακηρυχθεί καταφύγιο θηραμάτων από το 1972. Το 1984, πολύ πριν την απόφαση οριοθέτησης των ζωνών προστασίας, η απαγόρευση του κυνηγιού επεκτάθηκε σ' όλη τη λίμνη και τη γύρω περιοχή. Παρ' όλα αυτά το παράνομο κυνήγι για πάπιες και χήνες εξακολουθεί και σπάνια θα περάσει μέρα το χειμώνα χωρίς να ακουστούν τουφεκιές. Οι κυνηγοί του νομού ασκούν έντονη πίεση για τον περιορισμό σε έκταση των απαγορευμένων περιοχών.

Την άνοιξη, μεγάλοι αριθμοί βατράχων, κυρίως *Rana ridibunda*, συλλέγονται παράνομα, τη νύχτα με δυνατά φώτα, και συσκευάζονται για εξαγωγή στο εξωτερικό, συνήθως στην Γαλλία.

Ο αριθμός των ψαράδων, επαγγελματιών και ερασιτεχνών, έχει αυξηθεί πολύ και η υπεραλίευση ευθύνεται,

have also been forced to relocate the colony several times as the trees die. After the reedbeds vanished, the birds nested in trees, between the old and the new beds of the river, until 1988. In 1989 there was a major movement to another location, near the western edge of the forest. After 1992, that site was also opening up and an additional spot, where the trees were still dense, was used. By 1995 most of the birds nested in this new location.

High water levels affect the human, as well as the avian, inhabitants of the area. Some of the villages, namely Kerkini, Chrysochorafa, Limnochori and Megalochori, lie well below the surface of the lake when the water level exceeds 36 m a.s.l. Water seepage turns the ground into mud, house cellars are flooded and fields are inundated. In Limnochori they even had to move the cemetery because the graves filled up with water.

In addition, should a sudden, high volume flood occur when the reservoir is full to capacity, it would not be contained with potentially disastrous consequences for the villages around the lake or along the river course downstream of the dam.

The logical, and obvious, solution to all these problems, would be to curb the volume of water stored in the reservoir and maintain a maximum level that would reduce the negative effects on flora and fauna and allow optimum flood control.

This however, has been the focal point of a raging, bitter controversy between the farmers of the Serres plain and state agencies responsible for water management on one side and the local people and environmental groups, national and international, on the other side. The former consider the lake strictly as a water storage facility, paying no heed to its tremendous ecological value, and the latter would like to see conservation incorporated into an overall management scheme that would guarantee survival of this invaluable wetland.

A recent publication (September 1995) by the Land Reclamation Service ot the Serres Prefecture provides some indications about the atitude of the technical services towards the serious problems the ecosystem faces. This publicaton presents an overview of the deficiencies and inadequacies of the irrigation system of the plain, including future works, and speculates on possible solutions, yet it completely ignores the environmental aspect and the impact of said works on the wetland. It even challenges the need for conservation, stating "*.... Nobody was autorized to undertake the commitment, in 1971, at far away Ramsar in Persia, in front of the then Shah, that the wetland would be protected at the expense of the economic growth of the Prefecture ....*"

When the works were completed in 1983, plans had already been laid out for a second phase, which would include further elevation of the dikes, along with modifications of the river bed downstream of the lake and improvement of the irrigation system in the plain. The technical studies were completed in 1989. They propose elevation of the embankments to 41 m a.s.l. and an increase of the maximum water level to 37.6 m a.s.l. or more, to provide enough water for the enlargement of cultivated areas on the plain to 100,000 ha, a long-time ambition of local authorities.

The only foreseeable outcome if this is allowed to happen, will be complete habitat destruction. Shallow areas will be eliminated, aquatic vegetation will disappear, practically overnight, and most, possibly all of the forest will be submerged. Since even soft-wood trees cannot survive total immersion for more than 2-3 days, the trees will die within a year or two. Needless to say that the disappearance of the littoral zone and emergent vegetation will decimate the fauna of the lake. Kerkini will become a soulless, sterile reservoir, like so many others in our country, truly man's creation.

It is quite extraordinary that within the Ministry for the Environment, Physical Planning and Public Works, one Section is responsible for the protection of the Kerkini ecosystem according to the Ramsar Convention and EC directives, and another Section is promoting an intervention that will lead to its total annihilation.

Even though woodcutting in the protected zone is prohibited by law, villagers from around the lake still consider the forest a convenient source of wood, close by and easily accessible when the water retreats in fall and winter. They usually take the tallest, largest trees, the ones most likely to survive the stress of flooding, the ones that offer the most and best nesting sites for the waterbirds. Woodcuting affects birds in the vicinity of the lake as well. In 1990 the owner of a poplar plantation near Limnochori decided to cut the trees, during the breeding season, despite the fact that Grey Herons had already nested on them. In 1987, during logging in the foothills of Mavrovouni, a tree supporting an eyrie of the White-tailed Eagle pair was cut. Construction of new roads in the mountains increases accessibility and disturbance for breeding raptors, not to mention poaching.

Hunting has been prohibited in the northern part of the lake since 1972. In 1982, long before the zoning regulations were put into effect, the prohibition was extended to cover all of the lake and its surroundings. Poaching for ducks and geese, however, still persists and hardly a winter day goes by without shots being heard. Constant pressure is applied on the Forestry Service to reduce in size the no-hunting zones.

During the spring, frogs, mostly *Rana ridibunda*, are collected in very large numbers using strong lights at night. They are packed and exported, mainly to France.

The numbers of fishermen, professionals and amateurs have increased considerably and overfishing is to blame, in part, for the small catches of recent years. Illegal fishing during the closed season, or by prohibited means (such as harpoons and

εν μέρει τουλάχιστον, για τη μείωση της παραγωγής. Η λαθραλιεία κατά τη διάρκεια της απαγορευμένης περιόδου είναι συνήθης, όπως και η χρήση απαγορευμένων μέσων (καμάκια, ηλεκτραλιεία). Οι ψαράδες ανησυχούν πολύ για την ελάττωση των πληθυσμών των εμπορεύσιμων ειδών.

Οι ψαράδες συχνά ενοχλούν τα πουλιά που φωλιάζουν. Όταν ανοίγει η περιόδος του ψαρέματος, τα νερά στο δάσος ακόμα ανεβαίνουν και τα πουλιά επωάζουν τα αυγά τους (οπότε και είναι πιό ευαίσθητα στην ενόχληση). Τα ρηχά νερά προσελκύουν τα ψάρια και οι ψαράδες ακολουθούν, απλώνοντας τα δίχτυα και τα παραγάδια τους ανάμεσα στα δένδρα. Πολλά πουλιά, Κορμοράνοι, Λαγγόνες και βουτηχτάρια, συνήθως νεαρά, πνίγονται κάθε χρόνο, πιασμένα στα δίχτυα.

Πρόσφατα, σημαντική αιτία ενόχλησης έχει γίνει ο μεγάλος (και αυξανόμενος) αριθμός επισκεπτών που μεταφέρουν οι ντόπιοι βαρκάρηδες στην αποικία "για να δούν τα πουλιά". Επανειλημμένα έχω συναντήσει βάρκες γεμάτες με επισκέπτες, ντυμένους με έντονα χρώματα, που φωνάζουν και χειρονομούν ενθουσιασμένοι, που βγάζουν φωτογραφίες κυριολεκτικά σκαρφαλωμένοι πάνω στα δένδρα, αδιαφορώντας για τα πουλιά που εγκαταλείπουν τις φωλιές τους τρομοκρατημένα, τσαλαπατώντας και σπάζοντας τα αυγά τους και αφήνοντας τα μικρά τους στο έλεος του ήλιου και των αρπακτικών.

Η έλλειψη ενημέρωσης και γνώσεων για τη σημασία της λίμνης εξηγεί εν μέρει τις παράνομες δραστηριότητες, οι οποίες όμως ενθαρύνονται από την απουσία συνολικής διαχείρισης του υγρότοπου και ξεκάθαρης νομοθεσίας αλλά και από την πολύ χαλαρή εφαρμογή των διατάξεων που υπάρχουν.

Λίγα στοιχεία υπάρχουν για την παρουσία ρύπων στα νερά και τις πιθανές επιδράσεις τους στους φυσιο-χημικούς μηχανισμούς που επηρεάζουν τους ζωντανούς οργανισμούς της λίμνης. Μικρές συγκεντρώσεις απορρυπαντικών και λιπασμάτων προέρχονται από τα γειτονικά χωριά και τις καλλιεργούμενες εκτάσεις. Έχουν εντοπιστεί ίχνη πολύ τοξικών εντομοκτόνων (όπως το Aldrin), των οποίων η χρήση έχει απαγορευεί εδώ και πολλά χρόνια από το Υπουργείο Γεωργίας, που μεταφέρονται στη λίμνη από τη Βουλγαρία μέσω του Στρυμόνα. Στη Βουλγαρία μάλλον βρίσκεται και η πηγή των ραδιενεργών στοιχείων, των οποίων μετρήθηκαν ελαφρά αυξημένες συγκεντρώσεις στη λάσπη του πυθμένα της Κερκίνης. Το 1987 απαγορεύτηκε για μερικές βδομάδες το ψάρεμα στη λίμνη, λόγω κάποιου αδιευκρίνιστου ατυχήματος στη γειτονική χώρα που ρύπανε τον ποταμό. Το θέμα της ρύπανσης χρειάζεται περαιτέρω μελέτη και είναι απαραίτητο να ολοκληρωθεί η συμφωνία μεταξύ Ελλάδας-Βουλγαρίας για τον έλεγχο των αποβλήτων που διοχετεύονται στο ποτάμι. Θα πρέπει επίσης να διευθετηθεί το θέμα της επάρκειας του νερού, ιδιαίτερα αν αληθεύουν τα φημολογούμενα σχέδια για εκτροπή του Στρυμόνα με σκοπό την υδροδότηση της Σόφιας.

Ο κατάλογος των υγροτόπων που προστατεύονται με τη Συνθήκη Ραμσάρ, όπου περιλαμβάνεται και η Κερκίνη, επικυρώθηκε το 1974, η μελέτη όμως για την οριοθέτησή της ολοκληρώθηκε το 1986 και τέθηκε σε ισχύ μόλις το 1993. Η Κοινή Υπουργική Απόφαση 66272/93 καθορίζει την ευρύτερη προστατευόμενη περιοχή, που έχει έκταση 820 χλμ^2 και χωρίζεται σε τρείς ζώνες προστασίας, ρυθμίζει δε τις ανθρώπινες δραστηριότητες και τις χρήσεις της γης σε κάθε ζώνη. Η ζώνη αυστηρότερης προστασίας (ζώνη Α) καλύπτει τον ταμιευτήρα, την κοίτη του ποταμού ανάντι της λίμνης και μιά λωρίδα του Μαυροβουνίου. Μέσα στην ζώνη Α περικλείονται δύο πυρήνες απόλυτης προστασίας: τα περιοδικά κατακλυζόμενα εδάφη στη βόρεια πλευρά της λίμνης μαζί με το δέλτα του Στρυμόνα και ένα τμήμα των χαμηλών λόφων στους πρόποδες του Μαυροβουνίου μαζί με τα υγρολίβαδα κατά μήκος της νότιας όχθης. Δυστυχώς αυτή είναι μόνο προσωρινή λύση, μιά και η Υπουργική Απόφαση έχει διάρκεια μόνο δύο χρόνια με δυνατότητα παράτασης για άλλο ένα και το συνολικό διαχειριστικό σχέδιο δεν έχει ολοκληρωθεί.

Καθώς ήδη διανύουμε την περίοδο παράτασης, η λήψη οριστικής απόφασης για το μέλλον της Κερκίνης προβάλλει σαν επιτακτική ανάγκη. Θα συνεχίσει η λίμνη να λειτουργεί σαν υγρότοπος εξαιρετικής σπουδαιότητας, διατηρώντας ταυτόχρονα υψηλή αλιευτική παραγωγή και παρέχοντας νερό για άρδευση περίπου 600.000 στρεμμάτων, ή θα λειτουργήσει μόνο σαν αρδευτικός ταμιεύτηρας για τη μέγιστη δυνατή καλλιεργήσιμη έκταση στον Σερραϊκό κάμπο;

Για να διατηρηθεί η συνοχή των ενδιαιτημάτων και να αποκατασταθεί η ισορροπία που έχει διαταραχτεί είναι απαραίτητη η ορθολογική διαχείριση των υδάτων. Το νερό θα πρέπει να φτάνει στη μέγιστη στάθμη σχετικά νωρίς, κατά προτίμηση μέχρι τα μέσα Απριλίου, και να μην ξεπερνά τα +35μ. Αυτός είναι ο μόνος τρόπος για να ελαχιστοποιηθούν οι απώλειες σε φωλιές και να αυξηθεί η έκταση των παραλίμνιων βοσκοτόπων αλλά και των ρηχών νερών που θα ευνοήσουν την αναπαραγωγή των ψαριών και των πουλιών. Σημαντικά τμήματα των υγρολίβαδων δεν θα πλημμυρίζουν και θα μπορούσαν να προσελκύσουν παρυδάτια πουλιά για φώλιασμα, τα εφυδατικά μακρόφυτα θα έχουν αρκετό χρόνο για να αναπτυχθούν, το δε βάθος και η διάρκεια του πλημμυρισμού στο δάσος θα μειωθούν.

Ωστόσο η έλλειψη φυσικής αναγέννησης επιβάλλει τη λήψη πρόσθετων διαχειριστικών μέτρων για να εξασφαλιστεί η επιβίωση του δάσους, όπως η φύτευση ιτιών στα αραιά σημεία, για να αποκατασταθεί η συμπαγής δομή του, και το κλάδεμα των δένδρων μέχρι ύψος 2 μ πάνω από το έδαφος ώστε να διευκολυνθεί η αναγέννηση. Τα φερτά υλικά του Στρυμόνα μπορούν να χρησιμοποιηθούν για την κατασκευή νησίδων με αρκετό ύψος που θα επιτρέψουν την αναγέννηση και επέκταση των δένδρων. Οι θέσεις αυτών των νησίδων πρέπει να επιλεγούν προσεκτικά, ώστε να μην υπάρχει φόβος καταστροφής τους κατά τα πλημμυρικά επεισόδια, αλλά και να περιβάλλονται από νερό μετά τα μέσα Μαρτίου, δημιουργώντας έτσι πρόσθετες θέσεις φωλεοποίησης. Οι καλαμώνες μπορούν να θεριέψουν ξανά, αν μειωθεί η διακύμανση της στάθμης του νερού και προστατευτούν από τα ζώα που βόσκουν.

Αν η μέγιστη στάθμη δεν ξεπερνά τα +35 μ, οι αντιπλημμυρικές δυνατότητες του ταμιευτήρα βελτιώνονται σημαντικά, αίροντας έτσι το σημαντικότερο επιχείρημα για την ανύψωση των αναχωμάτων.

Η ελάττωση του διαθέσιμου για άρδευση όγκου νερού, μπορεί εύκολα να αντισταθμιστεί από εναλλακτικές πηγές. Σχετικές μελέτες έχουν δείξει πως η ανακατασκευή και βελτίωση των πεπαλαιωμένων, υδροβόρων τμημάτων του

electro-fishing), is quite common. Local fishermen are also worried about the decline of commercial fish populations.

Fishermen often disturb the breeding birds. Early in the fishing season, when the water is still rising - and incubating birds are more vulnerable to disturbance - the shallower waters around the forest attract fish in large numbers and fishermen are swift to follow, spreading their nets and long-lines among the trees. Many cormorants and grebes, usually juveniles, perish every year, drowned when they are caught in nets.

In recent years the large (and growing) numbers of visitors that are ferried by local boatmen to the colony "to see the birds", have become a major cause of disturbance. Several times, I have witnessed boatloads of gaudily dressed, shouting, gesticulating visitors, snapping away with their pocket cameras, literally touching the nests, oblivious of the frightened birds taking flight, trampling or breaking eggs in the process, abandoning their chicks to the mercy of the sun and predators.

Lack of education and awareness is partly responsible for illegal human activities, they are, however, encouraged by the lack of overall management and clear-cut legislation and by the very lax enforcement of existing regulations.

Very little is known about the presence of pollutants in the water and their possible impact on physio-chemical conditions affecting the fauna of the lake. Traces of detergents and fertilisers have been detected, originating in the surrounding villages and cultivated areas. Very toxic agricultural pesticides, such as Aldrin, which have been banned by the Greek Ministry of Agriculture years ago, are transported by the Strymon to the lake from Bulgaria. That is also the likely source of the higher than normal concentrations of radioactive elements measured in bottom silt. In 1987, fishing was banned for several weeks in Kerkini, because of an unidentified pollution accident in the neighbouring country. Further study on the problem of pollution is necessary, as well as an agreement between the Greek and Bulgarian governments to control the wastes that are released into the Strymon. The issue of water flow is likely to arise between the two countries if the rumoured plans to divert the Strymon in order to augment the water supply of Sofia are realised.

The list of Ramsar sites, including Lake Kerkini, was ratified in 1974, but the zoning and protection proposal was not completed until 1986 and it became effective only in 1993. Joint Ministerial Decree 66272/93 designated a protected area covering 820 Km^2, divided into tree zones, and regulates human activities and land use within them. The strict protection zone (zone A) covers all of the lake, the Strymon bed to the Bulgarian border and a narrow strip of Mavrovouni. All of the intermittently flooded areas in the northern part of the lake, including the Strymon delta, and part of the Mavrovouni foothills and the wet meadows along the southern shore, constitute the absolute protection cores, within zone A. Unfortunately this is a temporary solution, as the Decree has a duration of only two years, with an extension period of another year, and the overall management scheme has not yet been finalised.

Since we have already entered the extension period, a final decision concerning the future of Kerkini has become imperative. Will the lake continue to function as an ecosystem of extraordinary importance and a very productive fishery resource, providing also optimum flood control and water for the irrigation of some 60,000 ha, or will it function merely as water reservoir for the maximum acreage of irrigated land in the Serres plain?

To be able to maintain the integrity of habitats and restore the equilibrium that has been disrupted, sensible water management is critical. The maximum level must be attained early on, preferably by mid April, and should not exceed 35 m a.s.l. In this way, loss of nests could be minimised, grazing space would increase, as well as shallow areas for spawning fish and feeding birds, parts of the meadows would not be flooded and could possibly attract wading birds to nest, the floating-leaved aquatic plants would have ample time to grow and the depth and duration of flooding at the forest would also decrease.

However, in the absence of natural regeneration, additional management measures would be needed to guarantee survival of the forest. Planting of willows in open areas would restore its structure and pollarding of the trees at a height of 2 m above ground would allow regrowth. Sediments from the river could be used to build islands of sufficient height for the trees to regenerate. The location of such islands should be carefully selected, to prevent damage from floods and to enable the water to completely surround them after mid March so that they can serve as alternative nesting sites for waterbirds. Reedbeds could also be re-established if the amplitude of water levels is reduced and they are protected from grazing.

Maximum levels not exceeding 35 m a.s.l. would also greatly improve the flood containment capability of the reservoir, thus negating the major argument for increasing the

αρδευτικού δικτύου της πεδιάδας θα περιορίσει δραστικά τις απώλειες, εξοικονομώντας περίπου 60 εκατομμύρια μ^3 νερού κάθε χρόνο. Έχει υπολογιστεί ότι περίπου 1,5 μ^3 νερού διηθείται μέσα από τα αναχώματα καθε δευτερόλεπτο. Τα νερά αυτά μπορούν να αντλούνται και να διοχετεύονται στις περιφερικές τάφρους εξοικονομώντας άλλα 15 εκατομμύρια μ^3 ετησίως. Μιά άλλη πηγή αρδευσης είναι τα υπόγεια νερά που υπάρχουν στις παραλίμνιες και παραποτάμιες περιοχές και μάλιστα με υψηλό υδροφόρο ορίζοντα. Το ετήσιο ανανεούμενο υπόγειο δυναμικό της πεδιάδας υπολογίζεται σε 950 εκατομμύρια μ^3, ποσότητα πολυ μεγαλύτερη από το σύνολο των αναγκών.

Η πρόσχωση παραμένει σημαντικό εμπόδιο διότι μειώνει εξακολουθητικά τη χωρητικότητα του ταμιευτήρα. Στις εφαρμόσιμες λύσεις περιλαμβάνεται η παγίδευση των φερτών υλών ανάντι της λίμνης, στην κοίτη του Ρούπελ, απ' όπου θα απολαμβάνονται για να χρησιμοποιηθούν σε εδαφοβελτιώσεις, καθώς και η κατασκευή ενός καναλιού που θα παρακάμπτει τη λίμνη, εκτρέποντας έτσι τις πλημμυρικές παροχές απ' ευθείας στην κοίτη του ποταμού κατάντι του φράγματος. Η δεύτερη λύση θα εξουδετερώσει σχεδόν πλήρως το πρόβλημα των προσχώσεων αλλά θα μειώσει και τις καταστροφές των οικοτόπων γύρω από την κοίτη της Βυρώνειας και την εισροή του Στρυμόνα στην λίμνη.

Η Μελέτη Περιβαλλοντικών Επιπτώσεων για τα νέα έργα περιγράφει με λεπτομέρεια τους κινδύνους που απειλούν το οικοσύστημα της Κερκίνης και προτείνει διάφορες λύσεις. Η μελέτη αναφέρει ότι ".... η Κερκίνη είναι έργο που εξυπηρέτησε και θα εξυπηρετήση για αμοιβαίο όφελος την αντιπλημμυρική προστασία, την άρδευση και τη διατήρηση του περιβάλλοντος (υγροβιοτοπικές λειτουργίες) στο Νομό Σερρών...." και επανειλημένα τονίζει πως ".... είναι δυνατή η ικανοποιήση των αρδευτικών αναγκών της πεδιάδας των Σερρών, όχι μόνο των σημερινών αλλά και του προτεινόμενου τελικού σχεδίου ανάπτυξης για την άρδευση 1.020.000 στρεμμάτων, χωρίς καμμία μεταβολή της στάθμης της Κερκίνης από τα όρια της τελευταίας δεκαετίας ...."

Μετά απ' αυτά προκαλεί σίγουρα έκπληξη το τελικό συμπέρασμα της Μελετης Περιβαλλοντικών Επιπτώσεων που προκρίνει την ανύψωση των αναχωμάτων με μοναδική αιτιολογία την ενίσχυση του αντιπλημμυρικού ρόλου της λίμνης, όταν η μείωση της μέγιστης στάθμης στα +35 μ, ή και στα +34 μ, θα έχει το ίδιο αποτέλεσμα, ταυτόχρονα όμως θα ελαχιστοποιούσε την επιβάρυνση του οικοσυστήματος και θα διευκόλυνε την εφαρμογή διαχειριστικών μέτρων.

Σύμφωνα με τους όρους της ΜΠΕ - οι οποίοι εγκρίθηκαν στις 23/8/1995 με την Κοινή Υπουργική Απόφαση 81457 - κύρια προϋπόθεση για την εκτέλεση των έργων ανύψωσης των αναχωμάτων είναι να μην υπάρξει ανύψωση της μέγιστης στάθμης πάνω από τα +36 μ.

Η ανυπαρξία ενιαίου φορέα διαχείρισης της λίμνης, η ασάφεια του νομικού καθεστώτος, οι διοικητικές διαφωνίες, η γραφειοκρατία, οι αλληλοσυγκρουόμενες αρμοδιότητες των υπηρεσιών και τα αντιτιθέμενα συμφέροντα τοπικών και κρατικών φορέων καθιστούν αυτή την προϋπόθεση ανεδαφική.

Είναι σίγουρο πως, αν ανυψωθούν τα αναχώματα, μέσα σε πολύ μικρό χρονικό διάστημα η στάθμη του νερού θα ανυψωθεί κι αυτή, υπογράφοντας την καταδίκη του υγρότοπου. Ακόμα και αν η στάθμη δεν ξεπεράσει τα +36 μ, οι ανοιξιάτικες και καλοκαιρινές πλημμύρες θα την ανεβάζουν πολύ ψηλότερα, όπως συνέβη το 1995, προξενώντας ανεπανόρθωτες ζημιές στα πουλιά και τη βλάστηση.

Είναι απαραίτητο να ολοκληρωθεί ένα μακρόπνοο διαχειριστικό σχέδιο που θα ρυθμίζει όλες τις λειτουργίες της λίμνης και να δημιουργηθεί ένας ενιαίος διαχειριστικός φορέας που θα το εφαρμόσει. Πρέπει επίσης να ενισχυθεί το νομικό πλαίσιο προστασίας, κατά προτίμηση με Προεδρικό Διάταγμα που θα χαρακτηρίσει την Κερκίνη "Προστατευόμενη Περιοχή της Φύσης και του Τοπίου".

Ίσως έφτασε η στιγμή να αναλογιστούμε τι συμβαίνει στους υγρότοπους της χώρας μας. Πριν από το 1930, στη Μακεδονία υπήρχαν 19 λίμνες και 6 λιμνοθάλασσες που κάλυπταν συνολική έκταση 586 χλμ^2, ενώ άλλα 986 χλμ^2 σκεπάζονταν από έλη με γλυκό ή αλμυρό νερό. Οκτώ από αυτές τις λίμνες έχουν πλέον αποστραγγιστεί τελείως, άλλες περιορίστηκαν σε έκταση ενώ το μεγαλύτερο μέρος των ελών έχει αποξηρανθεί. Σήμερα οι λίμνες καλύπτουν λιγότερα από 364 χλμ^2 και απομένουν μόνο 56 χλμ^2 βάλτων. Μέσα σε 60 χρόνια, ο άνθρωπος κατέστρεψε πάνω από τα τρία τέταρτα της συνολικής έκτασης των υγροτόπων στη Μακεδονία. Οι περισσότερες από τις εναπομένουσες τοποθεσίες, όπως και όλα τα μεγάλα ποτάμια, έχουν υποβαθμιστεί, λιγότερο ή περισσότερο. Η καταστροφή των υγροτόπων επέφερε συγκλονιστική μείωση των ειδών χλωρίδας και πανίδας που εξαρτώνται από αυτούς.

Εάν εστιάσουμε την προσοχή μας στην περιοχή της Κερκίνης, οι στατιστικές είναι ακομα πιο δυσμενείς και αποκαρδιωτικές. Στην Ανατολική Μακεδονία (νομοί Σερρών, Δράμας και Καβάλας) μέχρι το 1930, οι βάλτοι κάλυπταν έκταση περίπου 448 χλμ^2 και οι λίμνες 56 χλμ^2. Λιγότερο από 5% της συνολικής έκτασης αυτών των υγροτόπων απομένει σήμερα.

Παρά τις αδιάκοπες ανθρώπινες παρεμβάσεις το υγροτοπικό οικοσύστημα Στρυμόνα/Κερκίνης κατόρθωσε να επιβιώσει τις συσσωρευμένες αρνητικές επιδράσεις των τελευταίων δεκαετιών και παρουσιάζεται σαν ένα οικοσύστημα μοναδικής οικολογικής αξίας, όχι μόνο για τη Μακεδονία και την Ελλάδα αλλά και για όλη την Ευρώπη. Παρ' όλα αυτά οι φυσικές του λειτουργίες έχουν σοβαρά διαταραχτεί και η παρούσα ισσορροπία είναι εξαιρετικά εύθραυστη.

Για πολλά χρόνια οι άνθρωποι δεν κατάφεραν να συνειδητοποιήσουν πως το πραγματικό δώρο του ποταμού δεν είναι το νερό αλλά η ίδια η Ζωή σε όλες της τις μορφές, από τους μικροσκοπικούς γυρίνους μέχρι τις υπέροχες χουλιαρομύτες που καθρεφτίζονται στα ακύμαντα νερά καθώς αερογλυστρούν πάνω σε ασάλευτες, κατάλευκες φτερούγες.

Άραγε θα κλείσουμε για μια ακόμα φορά τα μάτια μας και θα πετάξουμε αυτό το ανεκτίμητο δώρο;

height of the dikes.

The reduction in the volume of water available for crop irrigation could easily be balanced from alternative sources. Studies point out that repairs and modernisation of the outdated, older parts of the irrigation system would tremendously curtail water loss, saving some 60 million m^3 every year. Estimates show that over 1.5 m^3 of water seep through the embankments every second. With the construction of appropriate pumping stations, it could easily be collected and fed to the peripheral canals, providing an additional 15 million m^3 yearly. Underground waters are yet another source that could be utilised in the areas adjacent to the river and the lake. The underground water table is high and the rechargeable groundwater potential is estimated at 950 million m^3 per year, far greater than the total needs of the Serres plain.

Siltation remains a major obstacle as it will continue to reduce the volume of the reservoir. Feasible solutions include entrapment of suspended materials upstream of the lake, whence they could be removed and conceivably used in land fills and improvement of fields, and the construction of a new channel bypassing the lake to divert flood waters downstream of the dam. The latter solution would totally eliminate the problem of siltation, but also habitat damage around the inflow of the Strymon and along the Vironia bed.

The Environmental Impact Assessment Study for the proposed new works describes in great detail the threats to the ecosystem of Kerkini, offering a variety of solutions. It also states that ".... Kerkini has served, and will continue to serve for a mutual benefit, flood control, irrigation needs and the preservation of the environment in the Serres Perfecture ...." and repeatedly proclaims - in bold letters - that ".... if certain works are completed in the irrigation system .... the needs, not only of present day cultivated lands (75,000 ha), but even of 1,02000 ha, can be met without raising the water level at Kerkini above 36 m a.s.l. in the foreseeable future ...."

In view of all that, it is certainly surprising that the final recommendation gives the green light for the elevation of the embankments, for the sole reason of guaranteeing protection from floods. Reduction of the maximun irrigation level down to 35, or even 34 m a.s.l., would have the same effect and would also minimise the negative impact on the wetland, expediting its recovery through proper management.

The terms of the Impact Assessment Study - approved on 23/8/1995 by Joint Ministerial Decree 81457 - specify that maximum water levels may not be raised above 36 m a.s.l. even with increased height of the dikes. With no single administrative organ to undertake management of the lake, unclear legal status and guidelines, jurisdictional disputes, cumbersome and inefficient bureaucracy and conflicting interests of local and government agencies, such a provision is meaningless.

If the embankments are elevated, it is certain that, within a very short period, water levels will also begin to rise, spelling death for the wetland. Even if water levels were not to exceed 36 m a.s.l., spring and summer floods will push them much higher, inflicting irreparable damage to the birds and vegetation, as was the case in 1995.

A long-term management plan must be completed, taking into account all functions of the lake, and a single managing agency must be formed to implement it. The pertinent legislation must also be strengthened, hopefully by a Presidential Decree that will declare Lake Kerkini a "Protected Area of Nature and Landscape".

Perhaps the time has come to pause and consider what is happening to the wetlands of our country. Before 1930, 19 inland lakes and 6 lagoons existed in Macedonia, covering a total surface of 586 km^2, while fresh-, and salt-water marshes covered 986 km^2. Eight of the inland lakes have been completely drained, others lost smaller areas and most of the marshlands have been dried out. Today less than 364 km^2 of lakes and 56 km^2 of marshes survive. Within 60 years, man has destroyed well over three quarters of the total wetland area of Macedonia and most of the remaining sites, as well as the large rivers, have been degraded to varying degrees. The loss of wetlands has resulted in an appaling decline of associated flora and fauna species.

If we focus on the immediate vicinity of Kerkini, statistics are even more grim and depressing. Some 448 km^2 of marshes and 56 km^2 of lakes existed in eastern Macedonia (Prefectures of Serres, Drama and Kavala) prior to 1930, mostly along the drainage area of the Strymon and its tributaries in the Serres and Drama plains. Less than 5% of those wetlands survive to this day.

Despite continuous human intervention, the wetland of the Strymon/Kerkini area has survived the accumulated negative impact of the past decades and has emerged as a virtually unique ecosystem of unparalleled importance, not only for Macedonia and Greece, but for the whole of Europe. However, natural functions have been vastly altered and the existing equilibrium is extremely vulnerable.

For long years, man has failed to realise that the real gift of the river was not water but Life itself, in all its vivacious manifestations, from the tiny tadpole to the majestic spoonbill, reflected in the still waters as it soars on brilliant white wings.

Dare we once again close our eyes and cast this precious gift away?

Δεν θα ξεχάσω ποτέ την πρώτη φορα που αντίκρυσα τη λίμνη.

Ήταν νωρίς, ένα κρύο, χλωμό χειμωνιάτικο πρωινό. Άμορφα γκρίζα σύννεφα σκέπαζαν τον ορίζοντα και το αδύναμο φως του ήλιου που τα διαπερνούσε άπλωνε ολόγυρα μια παράξενη ανταύγεια. Δεν φυσούσε καθόλου. Ούτε μια ρυτίδα δεν χάραζε την λεία σαν καθρέφτη επιφάνεια του νερού. Γυμνά δένδρα ξεπρόβαλαν μέσα από την ομίχλη που " λίμναζε" στα βαθουλώματα του εδάφους και άφηνε άσπρα ξεφτίδια στις άκρες των σκελετωμένων κλαδιών, ενώ μιά ψιλή, σχεδόν αδιόρατη βροχή θόλωνε τις λεπτομέρειες.

Το αλλόκοτο, σχεδόν μονοχρωματικό τοπίο, χωρίς όριο ανάμεσα στη γη και τον ουρανό, το νερό και τον αέρα, με μαγνήτισε. Ξαφνικά αισθάνθηκα σαν να έβλεπα μέσα από ένα χνωτισμένο γυαλί μιάν ακαθόριστη εικόνα ενός άλλου κόσμου, μαγεμένου, δίχως διάσταση, δίχως χρόνο ......

(Επόμενες σελίδες)

I shall never forget the first time I laid my eyes on the lake.

It was very early on a cold, pale winter morning. Shapeless, grey clouds obscured the horizon and a thin, watery sunlight filtered through, spreading a strange luminesence all around. There was no wind, not a ripple to mar the mirror-like surface of the water. Bare trees rose out of the fog lingering in the hollows, trailing wispy streamers like cotton candy from their skeleton-like branches, and a fine, almost invisible drizzle blurred details.

The strange, monochromatic landscape, with no discernible demarkation between earth and sky, water and air, mesmerised me. I suddenly felt as if I were looking through frosted glass at a sealed image of another world, enchanted, dimensionless, timeless ......

(Following pages)

Ένας μοναχικός Στικταετός, χειμωνιάτικος επισκέπτης της λίμνης, εποπτεύει τις ρήχες.

A solitary Spotted Eagle, winter visitor to the lake, watches over the shallows.

Ενήλικος Θαλασσαετός (επάνω).
Γυμνές λεύκες περιβάλλουν την βορειοανατολική άκρη της λίμνης, με φόντο τις επιβλητικές χιονισμένες πλαγιές του όρους Κερκίνη (μέση).
Τα Φερεντίνια (*Netta rufina*) εμφανίζονται σχεδόν κάθε χρόνο στη λίμνη σε μικρούς αριθμούς (δεξιά).

Adult White-tailed Eagle (above).
Bare poplars surround the northeastern edge of the lake, against the majestic backdrop of the snow-clad slopes of Mount Kerkini (middle)
Red-crested Pochards (*Netta rufina*) appear almost every year at the lake, in small numbers (right).

Η κοίτη του Στρυμόνα μέσα στο δάσος.
The bed of the Strymon within the forest.

Δεν υπάρχει ουρανός ούτε γη,
μόνο χιόνι
που πέφτει ασταμάτητα.
ΧΑΣΙΝ

There is neither heaven nor earth,
only snow
falling incessantly.
HASHIN

Καστανοκέφαλοι Γλάροι,
Αργυροπελεκάνοι και Σταχτοτσικνιάδες κουρνιάζουν
στις δεμένες βάρκες των ψαράδων.

Moored fishing boats provide convenient perches for
Black-headed Gulls, Dalmatian Pelicans and Grey
Herons.

YAMAHA

Οι Νανόκυκνοι αναπαράγονται στην τούνδρα της Σιβηρίας και μεταναστεύουν κυρίως στην Βόρεια και Δυτική Ευρώπη.
Η παρουσία τους στην Ελλάδα έχει καταγραφεί ελάχιστες φορές. Μικρές ομάδες εμφανίζονται στην Κερκίνη κάθε χειμώνα μετά το 1992. Τα πουλιά αυτά φωτογραφήθηκαν τον Ιανουάριο του 1994, αργά, ένα σκοτεινό, βροχερό απόγευμα, κάτω από κακές συνθήκες. Ήταν η μοναδική ευκαιρία που μου έδωσαν μέσα σε τέσσερεις μέρες συνεχούς προσπάθειας.

Bewick's Swans nest in the high tundra of Siberia and migrate to Northern and Western Europe. Their presence in Greece has been recorded very few times. Since 1992, small groups appear every winter at Kerkini. These birds were photographed in January 1994, late on a rainy, overcast evening, under very poor conditions. This, however, was the only opportunity they offered during four days of continous, frantic searching.

Τα τελευταία χρόνια κοπάδια από Ασπρομετωπόχηνες (δεξιά, επάνω, κάτω) και Σταχτόχηνες (αριστερά) έγιναν πάλι συνηθισμένο θέαμα πάνω από τα λιβάδια και τα χωράφια γύρω από τη λίμνη.

In recent years, skeins of White-fronted (right above, below) and Greylag Geese (left) have once again become a common sight over the meadows and fields surrounding the lake.

Αργυροπελεκάνοι
Dalmatian Pelicans

Ένας Ροδοπελεκάνος μαζί με δύο Αργυροπελεκάνους
A White and two Dalmatian Pelicans

Όπως έπεφτε το χιόνι,
το περνούσε ψιθυρίζοντας
μιά ανάσα της άνοιξης.
ΙΣΣΑ

Falling snow:
a breath of spring
whispered through.
ISSA

Ακόμα και στα τέλη Φεβρουαρίου, το χιόνι διατηρείται στις ψηλότερες κορυφές της οροσειράς Κερκίνης.

Towards the end of February, snow still lingers on the higher peaks of the Kerkini range.

Οι χείμαρροι στα βουνά κυλούν φουσκωμένοι από το χιόνι που λυώνει. Οι πεσμένοι κορμοί που σαπίζουν γύρω τους, σκεπάζονται από μανιτάρια, όπως αυτά του γένους *Trametes* (αριστερά) και στις άκρες των μονοπατιών εμφανίζονται τα μανιτάρια *Coprinus comatus* (δεξιά).

The streams on the mountainsides swell as the snow melts. The fallen, rotting trunks along their courses are covered with fungi such as these *Trametes* sp. (left) and Shaggy Ink Cups *(Coprinus comatus)* appear at the edges of the trails (right).

Δωρόνικα *(Doronicum columnae)* στην όχθη ενός ρυακιού (άκρη αριστερά, επάνω) και νεαρή Πρασινόσαυρα (άκρη αριστερά, κάτω).

Heart-leaved Leopard΄s Banes *(Doronicum columnae)* on a stream bank (far left, top) and juvenile Green Lizard (far left, bottom).

Τα πρώτα φύλλα της άνοιξης (μέση).
Τα κίτρινα λουλούδια της Αχίλλειας
(Achillea tomentosa)
προσελκύουν μεγάλη ποικιλία εντόμων:
Ένα σκαθάρι της οικογένειας Cerambycidae
(αριστερά, επάνω), η ακρίδα *Pyrgomorpha conica*
(αριστερά, κάτω - δεξιά, επάνω),
μιά κίτρινη αράχνη (δεξιά, κάτω).

The first leaves of spring (middle).
The yellow flowers of *Achillea tomentosa* host a
spectacular array of insects:
A Longhorn Beetle (family Cerambycidae) (left, top),
the grasshopper *Pyrgomorpha conica*
(left, bottom - right, top),
a yellow spider (right, bottom).

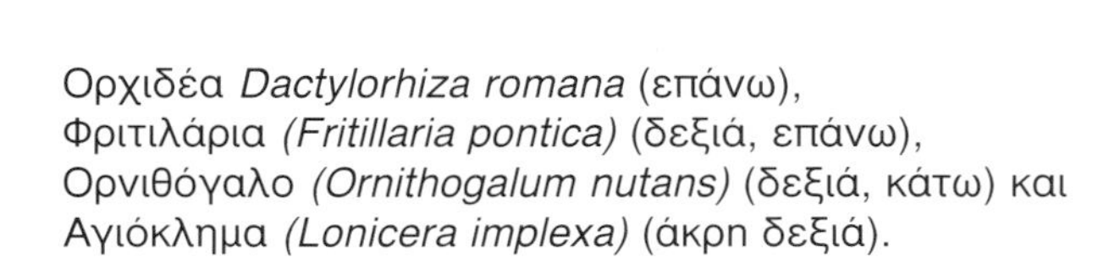

Ορχιδέα *Dactylorhiza romana* (επάνω),
Φριτιλάρια *(Fritillaria pontica)* (δεξιά, επάνω),
Ορνιθόγαλο *(Ornithogalum nutans)* (δεξιά, κάτω) και
Αγιόκλημα *(Lonicera implexa)* (άκρη δεξιά).

Roman Orchid *(Dactylorhiza romana)* (above),
Fritillary *(Fritillaria pontica)* (right, top),
Drooping Star of Bethlehem *(Ornithogalum nutans)*
(right, bottom),
Honeysuckle *(Lonicera implexa)* (far right).

Άποψη της λίμνης και της οροσειράς Κερκίνης στην αντίπερα όχθη, από ένα ψηλό σημείο στο Μαυροβούνι (μέση).
Μόνο με προσεκτική παρατήρηση και υπομονή ανακαλύπτει κανείς τους δυσδιάκριτους κάτοικους του δρυοδάσους:
Πεταλούδα του γένους *Adscita* (αριστερά - δεξια, επάνω),
σφήκα του γένους *Polistes* στη φωλιά της (δεξιά, κάτω)
και μια αράχνη με τα μικρά της (άκρη δεξιά, κάτω, επάνω).

A view of the lake and, across the water, the Kerkini range, from a vantage point high on Mavrovouni (middle).
Only careful observation and patience reveals the smaller, secretive inhabitants of the oakwoods:
Forester (*Adscita* sp.) (left - right, top),
a Paper Wasp (*Polistes* sp.) at its nest (right, bottom)
and a spider with its young (far right, bottom, top).

Καστανοκέφαλος Γλάρος (αριστερά),
Καλαμοκανάδες (μέση),
Λευκοτσικνιάς (δεξιά).

Black-headed Gull (left),
Black-winged Stilts (middle),
Little Egret (right).

Οι αρσενικές Πρασινοκέφαλες πάπιες ξεχωρίζουν αμέσως από τα άλλα είδη, με το αστραφτερό πράσινο κεφάλι, το κοκκινωπό στήθος και τα πορτοκαλί πόδια (δεξιά μέση, κάτω).
Είναι πραγματικά εντυπωσιακές τη στιγμή που πετάγονται στον αέρα, δείχνοντας όλα τους τα χρώματα (επάνω). Οι θηλυκές έχουν σκοτεινόχρωμο καφετί φτέρωμα με κηλίδες (δεξιά μέση, επάνω).
Τις πρώτες εβδομάδες του Μαρτίου κοπάδια παπιών που μεταναστεύουν, όπως αυτά τα Σφυριχτάρια (δεξιά, επάνω), περνούν πάνω από τη λίμνη·
οι Σταχτόχηνες έχουν ήδη ζευγαρώσει (δεξιά, κάτω).

Male Mallards are probably the most distinctive of ducks with their glistening green head, russet chest and bright orange feet (right middle, bottom).
I think that they are most beautiful as they burst into flight, flashing all their colours (above).
Females are mutely coloured (right middle, top).
In the first weeks of March, flocks of migrating ducks such as these Widgeon (right, top)
pass over the lake and the Greylag Geese are paired up (right, bottom).

Κατά την ανοιξιάτικη και φθινοπωρινή μετανάστευση κοπάδια από Χαλκόκοτες εμφανίζονται στα υγρολίβαδα (μέση) μαζί με Λιμόζες (μέση, επάνω). Οι πρώτοι Λευκοτσικνιάδες φτάνουν περίπου τις ίδιες μέρες (δεξιά).

During the spring and autumn migration periods, flocks of Glossy Ibises appear on the flooded meadows (middle) along with Bar-tailed Godwits (middle, top). The first Little Egrets arrive at about the same time, resplendent in their breeding plumage (right).

Ένας περαστικός Σταχτοτσικνιάς εντοπίζει ένα νεκρό ψάρι στην επιφάνεια της λίμνης και, με ένα επιδέξιο ελιγμό, δεν διστάζει να βουτήξει στο νερό για να το αρπάξει. Αυτή η "τεχνική" ψαρέματος είναι ασυνήθιστη - μιά και συνήθως ψαρεύουν ενεδρεύοντας ακίνητοι - και το πουλί μάλλον την χρησιμοποίησε επειδή η λεία του παρέμενε ακίνητη.

A soaring Grey Heron spots a dead fish on the surface of the lake and, banking adroitly, does not hesitate to plunge into the water to grab it. This is an unusual fishing method - in contrast to their habitual "Wait and Lunge" technique - probaly employed because the prey was stationary.

Κοκκινοφτέρα *(Scardinius erythrophthalmus)* (επάνω),
Ποταμολαύρακο *(Stizostedion lucioperca)* (μέση),
Πεταλούδα *(Carassius auratus)* (κάτω).

Rudd *(Scardinius erythrophthalmus)* (top),
Pikeperch *(Stizostedion lucioperca)* (middle),
Goldfish *(Carassius auratus)* (bottom).

Ένα κοπάδι Λευκοτσικνιάδες πάνω από τον Στρυμόνα (προηγούμενες σελίδες).

A flight of Little Egrets above the Strymon (previous pages).

Πολλές από τις φυτείες με λεύκες που βρίσκονται δίπλα στα αναχώματα πλημμυρίζουν καθώς το νερό ανεβαίνει (αριστερά). Σ΄αυτά τα ενδιαιτήματα συναντώνται οι Πρασινόσαυρες (δεξιά, επάνω) και οι Λιμνοβάτραχοι (δεξιά, κάτω).

Many of the poplar plantations next to the embankments are flooded as the water level rises (left). Green Lizards (right, top) and Marsh Frogs (right, bottom) are abundant in such habitats.

Ιππουρίδες (άκρη αριστερά) και Κίτρινες Ίριδες (αριστερά) φυτρώνουν ανάμεσα στην πυκνή βλάστηση που σκεπάζει τις πλαγιές των αναχωμάτων. Οι ολοκόκκινες αρσενικές λιβελλούλες *Crocothemis erythraea* (δεξιά) και οι πιό "θαμπές" θηλυκές (άκρη δεξιά) πετούν ανάμεσα στα φυτά, σταματώντας στιγμιαία σε ανοιχτά σημεία.

Mare's Tails (far left) and Yellow Irises (left) arise among the profuse vegetation lining the sides of the embankments. Above them the striking red male dragonflies *Crocothemis erythraea* (right) and their duller females (far right) dart back and forth, briefly resting on exposed perches.

Μαργαρίτες *(Anthemis tinctoria)* (αριστερά),
Χαμομήλι *(Chamemelum nobile)* (μέση)
και οι ορχιδέες *Orchis morio* (δεξιά)
και *Orchis purpurea* (άκρη δεξιά).

Yellow Chamomile *(Anthemis tinctoria)* (left),
Common Chamomile *(Chamemelum nobile)* (middle),
Green-winged Orchid *(Orchis morio)* (right),
Lady Orchid *(Orchis purpurea)* (far right).

Ένα θηλυκό Βραχοκιρκινέζι (δεξιά) κοντοστέκεται δίπλα στην είσοδο της φωλιάς του, ενώ το ταίρι του ξεκουράζεται λίγο πιό πέρα (άκρη δεξιά).
Και τα δύο πουλιά κυνηγούσαν έντομα και τα μετέφεραν στους νεοσσούς τους μέσα στη φωλιά. Κοντά τους, Κουκουβάγιες (άκρη αριστερά)
και Χαλκοκουρούνες (αριστερά) φώλιαζαν μέσα σε τρύπες,
σκαμμένες βαθειά στις απότομες χωματοπλαγιές του ίδιου παρατημένου λατομείου.

A female Kestrel (right) perches next to the entrance of her nest, while her mate rests close by (far right). Both birds were hunting for insects and delivered them to their young in the nest at frequent intervals.
Little Owls (far left) and Rollers (left) nested nearby, in holes carved deep in the steep earthen banks of the same disused quarry.

Παπαρούνες *(Papaver rhoeas).*
Corn Poppies *(Papaver rhoeas).*

Μεγάλη ποικιλία αγριολούλουδων ξεφυτρώνει
όπου βρίσκει πρόσφορο έδαφος στα δάση της Κερκίνης.
Νωρίς την άνοιξη, πριν ανοίξουν τα φύλλα των δένδρων, ανθίζει η Λουνάρια (μέση).
Αργότερα, καθώς η σκιά των πυκνών φυλλωμάτων απλώνεται στο έδαφος του δάσους,
εμφανίζονται άλλα είδη: οι δίχρωμες Βιόλες (δεξιά),
οι Αγριοτριανταφυλλιές (αριστερά, επάνω), οι Μενεξέδες *(Viola odorata)* (αριστερά, κάτω),
Αγριομπιζέλια *(Pisum elatius)* (άκρη αριστερά, επάνω)
και η Σαξιφράγκα *(Saxifraga stellaris)* (άκρη αριστερά, κάτω).

Around the woods of Mount Kerkini
a wealth of wildflowers gain a footing wherever they can.
In early spring, when the canopy is still leafless, Honesty comes into flower (middle).
As the shadow of the developing foliage spreads
over the woodland floor other species appear:
Heartsease (right), Dog Rose (left, top), Sweet Violet *(Viola odorata)* (left, bottom),
Wild Peas *(Pisum elatius)* (far left, top),
and Starry Saxifrage *(Saxifraga stellaris)* (far left, bottom).

Μια λαμπερή πρασινωπή ανταύγεια απλώνεται
στο γκρίζο τοπίο του δάσους καθώς ξεδιπλώνονται
τα πρώτα φύλλα της οξιάς (μέση).
Στο έδαφος του δάσους συναντώνται
Πολυγόνατα *(Polygonatum odoratum)* (αριστερά),
Φιδόχορτα *(Arum maculatum)* (δεξιά)
και Πρίμουλες *(Primula veris)* (άκρη δεξιά).

A misty green, luminescent glow suffuses the grey woodland
landscape as the first beech leaves unfurl (middle).
Amidst the litter on the ground appear
Angled Solomon's Seal *(Polygonatum odoratum)* (left),
Lords and Ladies *(Arum maculatum)* (right)
and Cowslip *(Primula veris)* (far right).

Πεταλούδα *Zygaena filipendulae* (αριστερά),
Λεγκουσία *(Legousia speculum-veneris)*
και Πασχαλίτσα *(Coccinella 7-punctata)* (μέση),
άσπρη αράχνη με το θήραμά της (δεξιά).

Six-spot Burnet *(Zygaena filipendulae)* (left),
Venus Looking-glass *(Legousia speculum-veneris)*
and Ladybird *(Coccinella 7-punctata)* (middle),
white spider with prey (right).

Σε στεγνά, φωτεινά σημεία
στις πλαγιές του όρους Κερκίνη,
συναντώνται οι Καμπανούλες
- *Campanula ramosissima* (επάνω, μέση),
Campanula persicifolia (επάνω, δεξιά) -
και οι Ίριδες *(Iris pseudopumilla)* με κίτρινα ή
πορφυρά λουλούδια (επάνω, αριστερά - δεξιά).

In open, sunny locations
on Mount Kerkini, Bellflowers,
Campanula ramosissima (above, middle) and
Campanula persicifolia (above, right) appear
alongside Irises *(Iris pseudopumilla)* with
yellow or purple flowers (above, left - right).

Οι πεταλούδες Παγώνι *(Inachis io)* (άκρη αριστερά),
Brintesia circe (αριστερά),
Issoria lathonia (επάνω, αριστερά)
και η *Nemoptera coa* (επάνω, δεξιά).

Peacock *(Inachis io)* (far left),
Great Banded Grayling *(Brintesia circe)* (left),
Queen of Spain Fritillary *(Issoria lathonia)* (above, left)
and *Nemoptera coa* (above, right).

Ανώριμος Θαλασσαετός (δεξιά)
και Σταυραετός (αριστερά)
γυροπετώντας πάνω από τη λίμνη.

Juvenile White-tailed Eagle (right)
and Booted Eagle (left)
soaring over the lake.

Αργά την άνοιξη τα νερά συνεχίζουν να ανεβαίνουν κατακλύζοντας τα υγρολίβαδα, ακόμα και τμήμα του δρόμου Λιθοτόπου-Κερκίνης, στη νοτιοδυτική πλευρά της λίμνης (δεξιά). Ξαφνικές, σύντομες αλλά βίαιες καταιγίδες είναι αρκετά συχνές αυτή την εποχή (αριστερά).

As the end of spring approaches, the water is still rising, inundating the wet meadows, even parts of the road from Lithotopos to Kerkini, on the southwestern shore (right). At that time sudden, brief but violent squalls are fairly common (left).

Σκουφοβουτηχτάρι (επόμενες σελίδες).
Great Crested Grebe (following pages).

Η ΖΩΗ ΣΤΗΝ ΑΠΟΙΚΙΑ

Ο επισκέπτης στις αποικίες της Κερκίνης, αντιλαμβάνεται αμέσως δύο πράγματα.

Πρώτα έρχεται ο θόρυβος· μια αδιάκοπη κακοφωνία από βραχνά γρυλλίσματα, κραξίματα, βογγητά, μουγκρητά και σφυρίγματα που φτάνει από μακρυά, πάνω από το γαλήνιο νερό.

Μετά, κοντύτερα, πέρα από τα νεκρά δέντρα που ξεπροβάλλουν μες απ'το νερό σαν παράξενα κηροπήγια, ξασπρισμένα από τον ήλιο και σκεπασμένα με περιττώματα πουλιών, φορτωμένα με αμέτρητες φωλιές, η μυρωδιά επιτίθεται· ένα διαπεραστικό, ανακατεμένο "άρωμα" σαπισμένων ψαριών, περιττωμάτων και αποσυντιθέμενης βλάστησης, χαρακτηριστικό στις αποικίες των ερωδιών και δύσκολο να ξεχαστεί.

Ανάμεσα στα κλαδιά του πλημμυρισμένου δάσους συναθροίζονται 10 είδη υδρόβιων πουλιών που ζούν σε αποικίες. Εκεί φτιάχνουν τις φωλιές τους κι ανατρέφουν τα μικρά τους Κορμοράνοι, Λαγγόνες, Κρυπτοτσικνιάδες, Νυχτοκόρακες, Σταχτοτσικνιάδες, Πορφυροτσικνιάδες και Λευκοτσικνιάδες, Χουλιαρομύτες, Χαλκόκοτες και, μερικές χρονιές, οι σπανιότεροι Αργυροτσικνιάδες. Κάτω από τα δένδρα, Νανοβουτηχτάρια και Σκουφοβουτηχτάρια γεννούν τ' αυγά τους σε επιπλέουσες φωλιές, φτιαγμένες από πλεγμένα υδρόβια φυτά.

Μόλις το νερό σκεπάσει το έδαφος του δάσους, συχνά νωρίς, στα τέλη Φεβρουαρίου, και η περιοχή γίνει ασπροπέλαστη απ' τη στεριά και ασφαλής από χερσαία αρπακτικά, οι Κορμοράνοι είναι οι πρώτοι που επιστρέφουν κι αρχίζουν τις γαμήλιες "επιδείξεις" τους. Πολύ γρήγορα όλα τα πουλιά είναι ζευγαρωμένα κι αρχίζουν να επισκευάζούν τις παλιές φωλιές και να χτίζουν καινούργιες.

Αναπαραγωγή Κορμοράνων παρατηρήθηκε για πρώτη φορά στην Κερκίνη το 1986, όταν περίπου 40 ζευγάρια παρέμειναν μετά το τέλος του χείμωνα επειδή βρήκαν κατάλληλες θέσεις για φώλιασμα στα δένδρα που είχαν πεθάνει εξ αιτίας της αυξημένης κατάκλυσης. Από τότε οι αριθμοί τους μεγαλώνουν θεαματικά. Από 500 ζεγάρια το 1990 έφτασαν σχεδόν τα 1.800 το 1995. Φωλιάζουν ψηλά σε νεκρά ή ζωντανά δένδρα, συνήθως χωρίς ν'ανακατεύονται με άλλα είδη. Όπου μοιράζονται τα δένδρα με άλλα πουλιά καταλαμβάνουν τις ψηλότερες φωλιές.

Από τα μέσα Μαρτίου αρχίζουν να έρχονται οι Λαγγόνες και σύντομα μετά απ' αυτές τα άλλα μεταναστευτικά πουλιά. Στίς αρχές Απριλίου η αποικία είναι γεμάτη με μια

LIFE AT THE COLONY

Anyone visiting the breeding colonies of Kerkini will immediately notice two things.

First comes the sound; an incessant cacophony of harsh grunts, croaks, groans, barks and whistles, carrying far out over the placid water.

Then, closer in, past the dead trees rising like grotesque candelabra, sunbleached and plastered with excreta, studded with countless nests, the smell assails the nose; a pungent melange of bird faeces, rotting fish and decaying vegetation, distinctive of heronries and hard to forget.

Among the branches of the flooded forest ten species of colonial waterbirds congregate, build their nests and raise their offspring; Cormorants, Pygmy Cormorants, Grey, Purple, Squacco and Night Herons, Little Egrets, Spoonbills, Glossy Ibises and, in some years, Great White Egrets. Below them Little and Great Crested Grebes lay their eggs on floating nests, built of woven strands of aquatic vegetation.

As soon as the water covers the forest floor, often as early as late February, and the area becomes inaccessible by land and safe from terrestrial predators, Cormorants are the first to return and begin displaying. Very soon they are paired and begin repairing old nests or building new ones.

Cormorants first bred at Kerkini in 1986, when some 40 pairs remained at the end of winter, finding suitable nesting locations on the trees that had died because of increased flooding. Since then their numbers have increased spectacularly, to 500 pairs in 1990 and close to 1,800 pairs in 1995. They nest high on live or dead trees, mostly in monospecific concentrations. Where they share the nesting trees with other species, they occupy the higher nests.

By mid March the Pygmy Cormorants start to arrive, soon followed by all the other migrant breeders. By the beginning of April the colony has become a seething mass of displaying birds, trying to establish their territories, building their nests and driving away intruders.

Apparently the activity of the large group stimulates individuals to begin displaying. In the case of late-arriving migrants, the presence of other birds displaying or incubating provides adequate stimulus for pair formation.

With the exception of Cormorants all other species nest on live trees. GreyHerons and Great White Egrets, being the largest, nest on top or in the periphery of the tree crowns, while Pygmy Cormorants, Glossy Ibises, Little Egrets and Night Herons nest under cover, within the higher parts of the

αναβράζουσα μάζα πουλιών που “επιδεικνύουν”, προσπαθούν να εδραιώσουν τις επικράτειές τους, να χτίσουν τις φωλιές τους και να απωθήσουν τους εισβολείς.

Φαίνεται πως η δραστηριότητα της πολυπληθούς ομάδας διεγείρει τα άτομα ν’ αρχίσουν τις “επιδείξεις”. Στην περίπτωση των καθυστερημένων αφίξεων, η παρουσία των άλλων πουλιών που ζευγαρώνουν ή κλωσσούν λειτουργεί σαν κίνητρο για ν’ αρχίσουν να ζευγαρώνουν.

Με εξαίρεση τους Κορμοράνους όλα τά άλλα είδη φωλιάζουν σε ζωντανά δένδρα. Οι Σταχτοτσικνιάδες και οι Αργυροτσικνιάδες, που είναι οι μεγαλύτεροι, φωλιάζουν στην κορυφή ή την περιφέρεια της κόμης, ενώ οι Λαγγόνες, οι Χαλκόκοτες, οι Λευκοτσικνιάδες και οι Νυχτοκόρακες φωλιάζουν καλυμμένοι μέσα στα ψηλότερα σημεία της φυλλωσιάς. Οι Κρυπτοτσικνιάδες, μικρότεροι απ’ όλα τα άλλα πουλιά, χτίζουν φωλιές στα χαμηλότερα κλαδιά στην πυκνή σκιά, όπου οι σκοτεινές ραβδώσεις των φτερών τους χάνονται μέσα στον περίγυρο και οι άσπρες τους κοιλιές φαίνονται σαν ηλιόλουστα σημεία. Οι Χουλιαρομύτες προτιμούν ανοιχτές θέσεις σε διάφορα ύψη και συχνά φωλιάζουν σε μικρές συγκεκριμένες ομάδες ή “γειτονιές” με τις φωλιές στριμωγμένες τη μία δίπλα στην άλλη.

Αυτή η κατακόρυφη στρωμάτωση των φωλιών επιτρέπει την μέγιστη αξιοποίηση του διαθέσιμου χώρου του δένδρου, ενώ ελαχιστοποιεί τον ανταγωνισμό και τις συγκρούσεις. Η επιλογή του ύψους πάνω στο δένδρο δεν εξαρτάται από την εποχή της άφιξης στην αποικία, αλλά μάλλον από το μέγεθος και τις συνήθειες του κάθε είδους. Όσο χτίζεται η φωλιά, το ένα μέλος του ζευγαριού μαζεύει υλικά ενώ το άλλο την φρουρεί με ζήλο, γιατί αλλιώς τ’ άλλα πουλιά θα τη διέλυαν μέσα σε λίγα λεπτά. Όποτε μπορούν, όλα τα είδη προσπαθούν να κλέψουν υλικά από ξένες φωλιές ή να καταλάβουν παλιές φωλιές από προηγούμενες χρονιές, γιατί αυτό ελαχιστοποιεί το χρόνο και τον κόπο της φωλεοποίησης.

Οι Πορφυροτσικνιάδες είναι από τους τελευταίους που φτάνουν και χτίζουν τις φωλιές τους χαμηλά μέσα στα πυκνότερα φυλλώματα. Το φώλιασμα σε δένδρα είναι ασυνήθιστο γι’ αυτό το είδος, που αναπαράγεται σχεδόν αποκλειστικά μέσα σε καλάμια. Μετά την εξαφάνιση των καλαμώνων, οι αριθμοί τους στην Κερκίνη έχουν μειωθεί, από 70 ζευγάρια το 1980, σε 15-20 το 1995.

Όπως και οι Κορμοράνοι, οι Σταχτοτσικνιάδες άρχισαν ν’ αναπαράγονται στην περιοχή σε μεγάλους αριθμούς μετά το 1985, φτάνοντας τα 230 ζεγάρια το 1990. Είναι το μόνο είδος που αναπαράγεται και σ’ ένα σημείο εκτός της λίμνης. Σχεδόν 150 ζευγάρια φωλιάζουν στις φυτείες λεύκας κοντά στο Λιμνοχώρι, στα ψηλότερα κλαδιά των δένδρων. Ο πληθυσμός τους είναι σταθερός με ελαφρά ανοδική τάση και το 1995 ξεπερνούσε τα 300 ζευγάρια. Οι Λαγγόνες έχουν επίσης αυξηθεί, από 200 ζευγάρια το 1980 σε 570 το 1990. Έκτοτε παραμένουν σταθερές γύρω στα 600 ζευγάρια.

Οι αριθμοί των Νυχτοκοράκων που φωλιάζουν μειώθηκαν σοβαρά μεταξύ του 1980 (400 ζευγάρια) και του 1986 (75 ζευγάρια), όμως αυξήθηκαν ξανά σε 780 ζευγάρια το 1990. Από τότε έχουν μείνει σταθεροί, με μιά μικρή ίσως αυξητική τάση. Ανάλογα εξελίχθηκε και ο πληθυσμός των Λευκοτσικνιάδων, που μειώθηκαν σε 107 ζευγάρια το 1986 και μετά έφτασαν πάλι στα 640 ζευγάρια το 1990, για να σταθεροποιηθούν έκτοτε γύρω στα 600 ζευγάρια.

Οι Κρυπτοτσικνιάδες ελαττώθηκαν σημαντικά, σε μόλις 61 ζεύγη το 1986. Από τότε έχουν μερικώς μόνο ανακάμψει, φτάνοντας τα 200 ζευγάρια το 1990, οι αριθμοί τους όμως μειώνονται και πάλι. Οι Χουλιαρομύτες μειώθηκαν κατά 50% περίπου, πέφτοντας στα 70 ζευγάρια το 1986· από τότε ο πληθυσμός τους έχει μείνει σχετικά σταθερός (65 ζευγάρια το 1990 και 60-70 το 1995). Οι Χαλκόκοτες παρουσίασαν τη δραματικότερη μείωση. Από τα 150 ζευγάρια που είχαν καταμετρηθεί το 1980 απέμεναν μόλις 20 το 1986 και 15 το 1990. Το 1994 εντοπίστηκαν λιγότερα από 10 ζευγάρια και το 1995 δεν φώλιασαν καθόλου στην Κερκίνη.

Από το 1978 υπήρχαν ενδείξεις πως οι Αργυροτσικνιάδες αναπαράγονταν στην λίμνη, γεγονός που επιβεβαιώθηκε για πρώτη φορά μόλις το 1988 με την ανακάλυψη τριών φωλιών. Τρία ζευγάρια ξαναφώλιασαν το 1990 και ένα ή δύο το 1995.

Στην κορύφωση της αναπαραγωγικής εποχής, η αποικία είναι τόπος ασταμάτητης, ξέφρενης δραστηριότητας. Μερικά πουλιά κλωσσούν ακόμα, άλλα φρουρούν τα νεογέννητα, οι μεγαλύτεροι νεοσσοί φωνάζουν συνεχώς ή μετακινούνται στα κλαδιά προκαλώντας άγριες αντιδράσεις από τους γείτονές τους, κι ένας ασταμάτητος χείμαρρος πουλιών πηγαινοέρχονται στις περιοχές τροφοληψίας, διαγράφουν κύκλους πάνω από την αποικία ή επιστρέφουν στις φωλιές τους.

Η αρμονική συνύπαρξη χιλιάδων, μόνιμα δραστήριων πουλιών σε τόσο στενή γειτονεία βασίζεται στην επιθετικότητα, μια και είναι αδύνατο να γνωρίζονται όλα τα πουλιά μεταξύ τους ώστε να αναπτυχθεί συγκεκριμένη ιεραρχία. Όμως, στις κοινωνίες των ερωδιών η επιθετικότητα δεν υπαγορεύεται από την προσωπικότητα του κάθε ατόμου αλλά από άλλους, αυστηρά καθορισμένους παράγοντες, ο σημαντικότερος των οποίων είναι η θέση του πουλιού μέσα στην αποικία.

Τα πουλιά που βρίσκονται μέσα στις επικράτειές τους είναι κυρίαρχα πάνω σε όλα τά άλλα, ακόμα και σε είδη μεγαλύτερα σε μέγεθος, κι έτσι νεοφερμένα πουλιά δεν μπορούν να σφετεριστούν την περιοχή ζευγαριών που είναι ήδη εδραιωμένα. Έξω από τις επικράτειες, τα αρσενικά που προσπαθούν να εγκατασταθούν κάπου κυριαρχούν στα άλλα, είτε είναι ζευγαρωμένα πουλιά μακρυά απ’ τη φωλιά τους είτε άτομα που δεν έχουν ταίρι. Η επιθετικότητα δηλώνεται από τη στάση των πουλιών, τις φωνές τους και τον τρόπο που φουσκώνουν το φτέρωμα τους. Οι επιθέσεις που μπορεί να καταλήξουν σε τραυματισμό σχεδόν πάντα αποφεύγονται, με την υποχώρηση του υποδεέστερου πουλιού.

Σαν αποτέλεσμα αυτής της κοινωνικής οργάνωσης, κάθε ζευγάρι κατέχει μια μικρή, αποκλειστική, απαραβίαστη επικράτεια μέσα στην ευρύτερη περιοχή της αποικίας, την οποία υπερασπίζεται και στήν παραμικρή ενόχληση. Εκεί μπορεί να αναθρέψει τα μικρά του ανενόχλητο, μέσα σ’ένα αδηφάγο πλήθος όπου κάθε άλλος ερωδιός είναι πιθανός άρπαγας.

Τα αυγά γεννιούνται ανά διαστήματα μιάς ή δύο ημερών και η εκκόλαψή τους είναι ασύγχρονη, γιατί η επώαση αρχίζει με το πρώτο. Τις πρώτες ημέρες, ένας από τους γονείς κάθεται συνεχώς πάνω από τους νεοσσούς. Αργότερα το ενήλικο στέκεται στην άκρη της φωλιάς προτατεύοντάς

foliage. The smallest of all, Squacco Herons, build their nests on lower branches, in the dark shade where the heavy streaks of their plumage break up their outline and their white bellies are confused with patches of sunlight. Spoonbills prefer open spots at varying heights, often nesting in small, discreet groups or "neighbourhoods", with closely packed nests.

Such a layered nesting arrangement allows maximum utilisation of the available nesting positions within a tree, while minimising competition and conflicts. Level preference is not dependant on the time of arrival at the colony, but rather on the size and habits of each species. During nest building, one member of the pair collects material and the other vigorously guards the nest, which, otherwise, would have been dismantled and carried away in a matter of minutes.

Whenever possible, all species try to steal material from other nests, or occupy old nests from previous years, as this reduces nest-building time and effort considerably.

Purple Herons are among the last to arrive and build their nests low, within the densest foliage. Nesting on trees is considered exceptional, for this is a species which normally breeds exclusively in reeds. Since the disappearance of the reedbeds, their numbers in Kerkini have declined from 70 pairs in 1980, down to 10-20 pairs in 1995.

Like Cormorants, Grey Herons started breeding in the area in large numbers after 1985, reaching 230 pairs in 1990. This is the only species that breeds in an additional location outside the lake. Approximately 150 pairs nest in the dense poplar plantations near Limnochori, high on the tallest branches of the trees. Their population is stable with a slight tendency to increase, estimated at over 300 pairs in 1995.

Pygmy Cormorants have increased as well, from 200 pairs in 1980 to 570 in1990 and since then have remained stable, close to 600 pairs.

The numbers of breeding Night Herons declined severely between 1980 (400 pairs) and 1986 (75 pairs) but then increased again to 780 pairs in 1990. Since then they have

been stable, with a slight tendency to increase. Little Egret populations followed a similar pattern, decreasing to 107 pairs in 1986 and then increasing again to 640 pairs in 1990. Since then, their population has been stable, around 600 pairs.

Squacco Heron numbers were down to 61 pairs in 1986 and since then have only partially recovered up to 200 pairs in 1990. Presently they appear to be slowly decreasing. Spoonbill breeding pairs have also been reduced by about 50% to 70 pairs in 1986 and have since remained more or less stable (65 pairs in 1990 and 60-70 in 1995). Glossy Ibises have shown the most dramatic decline from 150 pairs in 1980 to 20 pairs in 1986 and 15 pairs in 1990. By 1994 there were less than 10 pairs left and in 1995 they did not breed at all in Kerkini.

Great White Egrets were suspected of nesting as early as 1978, but only in1988 were 3 nests positively confirmed. They have nested again in 1990 (3 pairs) and in 1995 (1-2 pairs).

At the peak of the breeding season the colony is a site of unbounded, frenzied activity. Some birds are still incubating their eggs, others are guarding their recently hatched young, older hatchlings clamour constantly for food or scamper around in the branches provoking angry responses from their neighbours and an endless stream of birds is flying to and from the feeding grounds, circling overhead or landing on their nests.

The coexistence of thousands of constantly active birds, in such close proximity depends on aggression, as it is impossible for all birds to know each other and develop a hierarchy. However, in heron societies, aggressiveness is dictated not by each individual's personality, but by other, rigidly determined factors, most important being the location within the heronry.

Birds within their territories are dominant in all situations, over all others, even those of larger species, so newcomers are unable to usurp the territory of established pairs. Breeders away from their nest and unmated birds that visit the colony are dominated by males in search of territory. Aggressiveness is communicated by the posture of the birds, their vocalisations and the way they erect their plumes. Fights, that might injure the participants, are nearly always avoided, with the subservient bird giving way.

As a result of this social organisation, each pair occupies a small, exclusive, inviolate territory within the greater area of the colony, which they defend against the slightest intrusion. There, they can rear their young undisturbed, within a voracious multitude where any other heron is a potential predator.

Eggs are laid at intervals of one or two days and hatching is asynchronous, since incubation begins with the first egg. One of the parents constantly broods the chicks for the first few days. Later, the adult bird stays on the rim of the nest, protecting the young, ready to sit on them if the weather turns cold and rainy, or shelter them from the sun with its spread wings.

Once the chicks have grown enough to defend themselves and their thermoregulation is able to cope with weather extremes, both parents forage together to provide the increased quantity of prey required to feed them. The peak of hatching, for most of the species nesting at the colony in Kerkini, is timed to coincide, more or less, with the maximum duration of daylight (mid-June), so that the adults

τους, έτοιμο να καθήσει πάνω τους για να τους προφυλάξει από την βροχή ή το κρύο, και να τους σκιάσει από τον ήλιο με τις απλωμένες φτερούγες του.

Μόλις οι νεοσσοί μεγαλώσουν αρκετά για να υπερασπίζονται τον εαυτό τους και ο θερμορυθμιστικός μηχανισμός τους μπορεί ν' αντιμετωπίσει τις ακραίες αλλαγές του καιρού, και οι δύο γονείς εξορμούν μαζί σε αναζήτηση της αυξημένης ποσότητας τροφής που χρειάζονται για να τους ταΐσουν. Για τα περισσότερα είδη που φωλιάζουν στην αποικία της Κερκίνης, η κορύφωση της εκκόλαψης είναι συγχρονισμένη ώστε να συμπίπτει λίγο - πολύ με τη μέγιστη διάρκεια της φωτοπεριόδου (μέσα Ιουνίου) ώστε τα ενήλικα να έχουν περισσότερο χρόνο στη διάθεσή τους για να βρούν τροφή.
Το αν οι νεοσσοί θα επιζήσουν ή όχι θα καθοριστεί από μια συγκυρία παραγόντων όπως οι καιρικές συνθήκες, η ενόχληση, η θήρευση, η εμπειρία των γονέων και πάνω απ' όλα η επάρκεια τροφής. Αν και ο αριθμός των αυγών που γεννά το κάθε είδος διαφέρει, συνήθως μόνο οι δύο ή τρείς πρώτοι νεοσσοί επιζούν, αφού είναι μεγαλύτεροι από τ' αδέλφια τους και σύντομα γίνονται δυνατότεροι και επομένως ικανότεροι ν'ανταγωνιστούν για την τροφή.
Οι νεαρότεροι συνήθως πεθαίνουν από έλλειψη τροφής μέσα στην πρώτη ή δεύτερη εβδομάδα.

Η ασύγχρονη εκκόλαψη μπορεί να είναι ασύμφορη αφού ένας ή και περισσότεροι νεοσσοί σίγουρα θα πεθάνουν, εγγυάται όμως την επιβίωση μερικών, ακόμα και κάτω από αντίξοες συνθήκες.

Όταν οι μικροί ερωδιοί και οι νεαρές Λαγγόνες, Χουλιαρομύτες και Χαλκόκοτες μεγαλώσουν αρκετά, τριγυρίζουν μέσα στη φωλιά, σκαρφαλώνουν στα κλαδιά και τρέχουν στους γονείς τους ζητώντας τροφή αν αυτοί προσγειωθούν μακρύτερα από τη φωλιά. Οι μικρές Χουλιαρομύτες είναι ανεκτές μέσα στη "γειτονιά" τους, όμως τα περισσότερα είδη διώχνουν τους ξένους νεοσσούς. Αντίθετα, οι νεαροί Κορμοράνοι μένουν στη φωλιά μέχρι να συμπληρωθεί η αναπτυξή τους και να μπορούν να πετάξουν.

Τα νεαρά πουλιά, ακόμα και όταν πλεόν μπορούν να πετάξουν παραμενούν στην περιοχή της αποικίας και οι γονείς τους εξακολουθούν να τα ταΐζουν. Αυτό συνεχίζεται για περισσότερο από ένα μήνα καθώς αρχίζουν να τριγυρίζουν σε μεγαλύτερες αποστάσεις και ν'αποκτούν σιγά σιγά την επιδεξιότητα στην ανεύρεση τροφής που θα τους επιτρέψει να επιβιώσουν μόνα τους.

Οι Καρακάξες (*Pica pica*) φωλιάζουν τριγύρω στην αποικία και μάλλον είναι οι κυριότεροι θηρευτές, αρπάζοντας πρόθυμα αυγά όποτε τους δίνεται ευκαιρία. Αρπακτικά πουλιά επίσης μπορεί να πάρουν απροστάτευτα μικρά.

Ο μεγαλύτερος όμως κίνδυνος για τά αυγά και τούς νεοσσούς στην Κερκίνη προέρχεται από τις υδρολογικές λειτουργίες του ταμιευτήρα. Τα περισσότερα ζευγάρια έχουν τελειώσει τις φωλιές τους στίς αρχές ή τα μέσα του Μαΐου, πολύ πρίν φτάσει το νερό στη μέγιστη στάθμη του (συνήθως στις αρχές Ιουνίου) . Καθώς το νερό συνεχίζει ν' ανεβαίνει, εκατοντάδες φωλιές βυθίζονται και εγκαταλείπονται.
Τα πουλιά αυτά προσπαθούν να ξαναφωλιάσουν ψηλότερα, αν μπορέσουν να βρούν κατάλληλο σημείο.

Το 1988 πλημμύρισαν τουλάχιστον 50 φωλιές Λαγγόνας και 30 φωλιές Χουλιαρομύτας. Το 1990, όταν το μέγιστο επίπεδο νερού ήταν ακόμα κάτω απ' τα +36 μ, περισσότερες απο 300 φωλιές καταστράφηκαν. Μεταξύ τους: 5 φωλιές Κορμοράνων, 3 Σταχτοτσικνιάδων, 5 Χαλκόκοτας (σε συνόλο 15 φωλιών), 15 Χουλιαρομύτας, 70 Νυχτοκοράκων, 80 Λευκοτσικνιάδων και 60 Κρυπτοτσικνιάδων. Είναι προφανές ότι τα είδη που φωλιάζουν χαμηλότερα έχουν τις μεγαλύτερες απώλειες. Καθώς τα μεγαλύτερα δένδρα στην περιοχή της αποικίας εξαφανίζονται, αναγκάζοντας τα πουλιά να φωλιάσουν σε χαμηλότερα δένδρα και θάμνους, η δε μέγιστη στάθμη του νερού ανυψώνεται, οι απώλειες εξ αιτίας της κατάκλυσης αναμένεται ν' αυξηθούν, όπως συνέβη το 1995.

Δεν θα ξεχάσω ποτέ την επίσκεψή μου στην αποικία τις πρώτες μέρες του Ιουνίου 1995, λίγες μέρες αφότου το νερό έφτασε το πρωτοφανές ύψοςτων +36,4μ.

Ακόμη και το τοπίο, τόσο οικείο μετά από δεκάδες επισκέψεις, έμοιαζε διαφορετικό. Πολλά απ' τα μονοπάτια ανάμεσα στα δένδρα δεν υπήρχαν πιά, καθώς η βάρκα μας έπλεε στο ίδιο επίπεδο με τις πυκνότερες φυλλωσιές, ενώ σε μέρη που υπήρχαν χαμηλότεροι θάμνοι φαινόταν μόνο ανοικτό νερό. Τρομαγμένοι νεοσσοί συνωστίζονταν σε φωλιές που μετά βίας παρέμεναν στεγνές ή αρπάζονταν αβέβαια από ψηλότερα κλαδιά, ζητώντας καταφύγιο. Πολλοί δεν είχαν μπορέσει να σωθούν και τα αξιολύπητα μικρά τους σώματα κρέμονταν από κλαδιά ή επέπλεαν στο θολό νερό. Παντού έβλεπα μισοβυθισμένες φωλιές, μερικές από τις οποίες ακόμα περιείχαν αυγά, ενώ μικρά ξύλα και κλαδάκια γέμιζαν την επιφάνεια του νερού, απομεινάρια από άλλες, εντελώς κατεστραμένες. Εκατοντάδες πουλιά τριγύριζαν από πάνω μας κουβαλώντας κλαδιά, προσπαθώντας με μανία να ξαναχτίσουν φωλιές. Υπήρχαν ζευγάρια σ' όλο το δάσος, μακρυά από την αποικία, οπουδήποτε μπορούσαν να βρούν ένα ψηλό, ασφαλές σημείο. Ποτέ δεν θα μάθουμε πόσες ακριβώς φωλιές καταστράφηκαν, υπολογίζονται όμως σε περισσότερες από 600, ίσως και 800.

Στίς αρχές Αυγούστου οι περισσότερες φωλιές είναι πιά άδειες, περιμένοντας τον ερχομό των πουλιών την επόμενη χρονιά. Καθώς το νερό υποχωρεί, νεαρά και ενήλικα άτομα συναθροίζονται στις ρηχές περιοχές γύρω από το δάσος, στα υγρολίβαδα και κατά μήκος των αναχωμάτων. Πολλά ψαροφάγα πουλιά, ερωδιοί, Κορμοράνοι και Λαγγόνες, μαζεύονται στην υδροληψία κοντά στο Λιμνοχώρι και στο αρδευτικό κανάλι κατά μήκος του ανατολικού αναχώματος για να επωφεληθούν από την αφθονία των ψαριών στο γοργοκύλιστο αλλά ρηχό νερό. Εκεί, κουρνιάζουν ψηλά στις μεγάλες λεύκες ή στέκονται στίς όχθες, καυγαδίζοντας για τα πιό ευνοϊκά σημεία ψαρέματος.

Μερικοί ερωδιοί, αλλά κυρίως οι Χουλιαρομύτες, περνούν τον περισσότερο καιρό τους στα λιβάδια απέναντι από το Μανδράκι που, την εποχή εκείνη, έχουν αρχίσει να στεγνώνουν. Οι λιμνούλες που αφήνουν τα νερά καθώς αποτραβιούνται περιέχουν συγκεντρωμένη λεία και συχνά τα πουλιά τρέφονται σε μεγάλες ομάδες.

Προς τα τέλη Αυγούστου τα περισσότερα είδη σχηματίζουν μεγαλα, ανήσυχα κοπάδια στίς στεγνές περιοχές γύρω από το στόμιο του Στρυμόνα, έτοιμα να ξεκινήσουν το μακρινό τους ταξίδι προς τα μέρη που θα ξεχειμωνιάσουν, συμπληρώνοντας έτσι τον αναπαραγωγικό τους κύκλο.

may have more time to forage.

Whether the nestlings will survive, or not, will be determined by a combination of factors such as weather conditions, disturbance and predation, experience of the parents and above all food availability. Even though clutch size varies for different species, usually only the first two or three chicks survive, having grown stronger and larger than their younger siblings and thus better able to compete for food. The youngest ones frequently starve to death within the first or second week.

Asynchronous hatching may be costly, as one or more nestlings will invariably die, but it also guarantees survival of some, even under adverse conditions.

When they are well grown, heron chicks and those of Pygmy Cormorants, Spoonbills and Ibises, move around the nest, climbing on branches and hurrying towards their parents to be fed, when they land some distance from the nest. Spoonbill chicks are tolerated within their "neighbourhood", but most other species drive strange chicks away. In contrast, Cormorant chicks remain in their nest until fully grown and able to fly. When juveniles are fully fledged they remain in the vicinity of the colony still being fed by their parents. This continues for more than a month, while they start wandering about and slowly acquire the hunting skills that will enable them to survive on their own.

Magpies *(Pica pica)* nest around the colony and are probably the most important predators, readily taking eggs whenever given the opportunity. Raptors also occasionally prey on unprotected chicks.

However, the greatest threat to eggs and nestlings in Kerkini stems from the hydrological functions of the reservoir. Most of the pairs have completed their nest-building by early or mid-May, long before the water reaches its maximum level (usually in early June). As the water continues to rise, hundreds of nests are flooded and abandoned. The birds then may attempt to re-nest at a higher level, if they can find a suitable site.

In 1988 at least 50 nests of Pygmy Cormorants and 30 nests of Spoonbills were flooded. In 1990, when the maximum water level still remained below 36 m a.s.l., more than 300 nests were destroyed, including 5 of Cormorants, 3 of Grey Herons, 5 of Glossy Ibises (on a total of 15), 15 of Spoonbills, 70 of Night Herons, 80 of Little Egrets and 60 of Squacco Herons. It is obvious that species nesting on the lower levels suffer the greatest losses. As the taller trees in the colony disappear, forcing the birds to nest on smaller ones, and water levels rise, losses because of flooding are expected to increase, as indeed happened in 1995.

I shall never forget my visit to the colony in the first week of June, 1995, a few days after the water rose to the record 36, 4 m a.s.l.

Even the landscape, so familiar after dozens of visits over the years, looked different. Many of the paths through the trees no longer existed as our boat was floating level with the widest parts of the tree crowns and in places where lower bushes stood, only open water was visible. Terrified chicks huddled in nests that were barely dry, or clung precariously on higher branches, where they sought refuge. Many had not made it to safety and their pitiful, tiny corpses hung on branches or floated on the muddy water. At every turn, I spotted half-submerged nests, some with eggs in them; small dry sticks and twigs littered the surface of the lake, remnants of others, completely destroyed. Hundreds of birds were milling overhead, carrying twigs, frantically trying to start nesting anew. There were pairs all over the forest, well away from the main colony, anywhere they could find a high, safe spot, We will never know for sure how many nests were destroyed, but they are estimated at over 600, possibly as many as 800.

By the beginning of August most of the nests stand empty, left to await the arrival of the birds in the following year. As the water retreats, juveniles and adults congregate in the shallow areas around the forest, the wet meadows and along the embankments. Many of the fish-eaters, herons, Cormorants and Pygmy Cormorants, gather at the water offtake near Limnochori and the irrigation canal next to the eastern embankment. There, they perch high on the tall poplars, or line the banks, fighting for choice fishing spots, attracted by the large numbers of fish in the swiftly- flowing, shallow water.

The Spoonbills, and some herons, spend most of their time on the meadows opposite Mandraki that are, by that time, drying up. The pools left behind by the receding waters, provide them with concentrated prey and they often feed inlarge swarms.

Towards the end of August, most of the birds form large, restless flocks in the dry areas around the mouth of the Strymon, ready to embark on their long journey to their wintering grounds, thus completing their breeding cycle.

Η περίοδος ανάπτυξης των νεαρών Σταχτοτσικνιάδων χωρίζεται σε τρείς φάσεις.
Στην πρώτη, που διαρκεί 3-4 εβδομάδες, ένας από τους γονείς βρίσκεται πάντα στη φωλιά (δεξιά).
Η δεύτερη φάση αρχίζει μόλις οι νεοσσοί μπορούν να υπερασπιστούν τον εαυτό τους:
παραμένουν μέσα ή γύρω από τη φωλιά (μέση) και οι γονείς επιστρέφουν μόνο για να τους ταΐσουν.
Στην τρίτη φάση τα νεαρά πουλιά μπορούν να πετάξουν
και αρχίζουν να κυνηγούν μόνα τους (αριστερά), οι γονείς όμως εξακολουθούν να τα ταΐζουν.

The growth period of young Grey Herons can be divided in three phases.
During the guardian period, which lasts 3-4 weeks,
one of the parents remains constantly at the nest (right).
The post-guardian period begins when the chicks are able to defend themselves;
they remain at or near the nest (middle) and the parents visit the nest only to feed them.
During the fledgling period the young are able to fly
and begin to hunt for themselves (left), while still being fed by their parents.

Η επικράτεια κάθε ζευγαριού Κορμοράνων καλύπτει μόνο την άμεση περιοχή της φωλιάς και έτσι οι φωλιές βρίσκονται πολύ κοντά η μία στην άλλη, μερικές φορές ακόμα και σε επαφή (άκρη δεξιά). Πριν αφήσει το ταίρι του στη φωλιά, το πουλί που φεύγει εκτελεί μιά περίπλοκη “επίδειξη”: φουσκώνει το φτέρωμα του κεφαλιού και του λάρυγγα, σηκώνει το λοφίο και υψώνει το ράμφος προς τα εμπρός (δεξιά). Η περίοδος ανάπτυξης των νεοσσών διαρκεί περίπου 50 μέρες και τα μικρά έχουν διαφορετικά μεγέθη λόγω της ασύγχρονης εκκόλαψης (επόμενες σελίδες, ένθετα).

The territory of Cormorant pairs is restricted to the immediate nest site, therefore nests are closely packed, some times even in contact (far right). Before leaving its mate on the nest either bird performs an elaborate Pre-flight display, with head and throat distended, crest raised and its bill tilted forwards and up (right). The growth period lasts approximately 50 days and the growing young are of different sizes, since hatching is asynchronous (following pages, inserts).

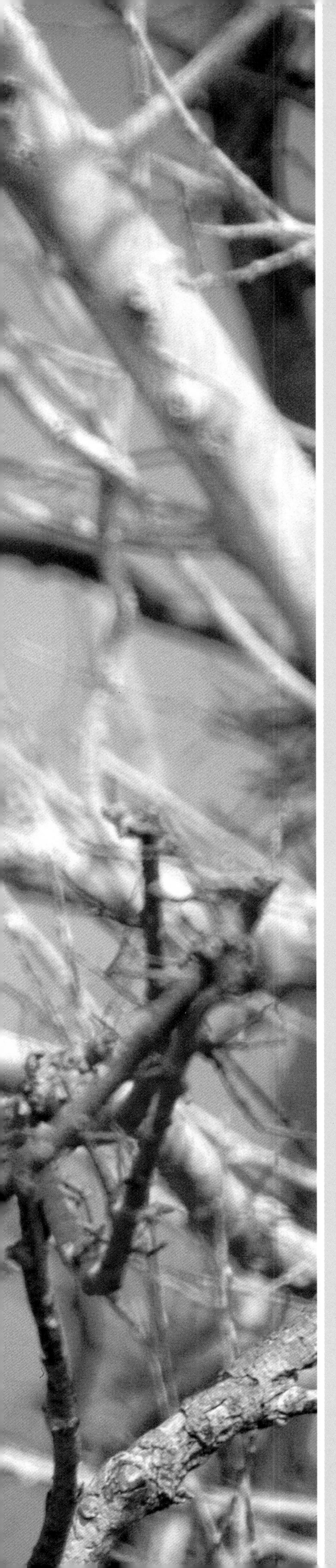

Μόνο από κοντά ξεχωρίζουν οι λαμπερές μεταλλικές ανταύγειες στο σκουρόχρωμο φτέρωμα της ενήλικης Χαλκόκοτας (επάνω), ενώ μόλις αρχίζουν να διακρίνονται στις φτερούγες των ανώριμων πουλιών (δεξιά). Η Χαλκόκοτα κινδυνεύει να εκλείψει σαν αναπαραγόμενο είδος στην Ελλάδα, κυρίως λόγω της ανθρώπινης επέμβασης στους υγρότοπους.

At close quarters the dark, sleek Glossy Ibis (above) shows a glossy iridescent coat, barely visible on the developing wings of juvenile birds (right).
Glossy Ibises are in danger of becoming extinct as a breeding species in Greece, mostly because of human intervention on the wetlands.

Κατά την περίοδο αναπαραγωγής,
οι ενήλικοι Κρυπτοτσικνιάδες
αποκτούν μακρυά λοφία και η βάση του ράμφους τους
παίρνει ένα βαθύ τυρκουάζ χρώμα (αριστερά).
Λευκοτσικνιάδες και Κορμοράνος (δεξιά).

In breeding plumage adult Squacco Herons
acquire long nape plumes and the base of their bill
turns a deep turquoise colour (left).
Little Egrets and Cormorant (right).

Οι ενήλικοι Λευκοτσικνιάδες ξεχωρίζουν από τα μακρυά, λογχοειδή λοφία στην κορυφή του κεφαλιού τους και τα όμορφα επιμήκη φτερά στο στήθος, τους ώμους και την πλάτη (δεξιά, άκρη δεξιά). Αυτό το νεαρό πουλί διατηρεί ακόμα στο κεφάλι του λίγο χνούδι από το πρώτο του φτέρωμα (αριστερά).

Adult Little Egrets are distinguished by the long, lanceolated feathers on hindcrown and the beautiful elongated chest, mantle and scapular feathers (right, far right).
This juvenile bird still retains some down on its head (left).

Οι Μικροτσικνιάδες *(Ixobrychus minutus)* συναντώνται στις άκρες της λίμνης,
μέσα σε πυκνές συστάδες ψηλών υπερυδατικών μακρόφυτων,
αλλά κυρίως στις πυκνές τούφες καλαμιών που αναπτύσσονται στα αρδευτικά κανάλια.
Ο πληθυσμός τους μειώθηκε σημαντικά με την εξαφάνιση των καλαμώνων
και συνήθως δεν ξεπερνά τα 100 ζευγάρια, αν και μερικές χρονιές,
όπως το 1995, έχει καταγραφεί μεγαλύτερος αριθμός.

Little Biterns *(Ixobrychus minutus)* are found at the fringes of the lake,
within dense, tall stands of emergent vegetation and the dense patches
of reeds growing in the irrigation ditches.
Their population was reduced when the reedbeds vanished
and is estimated around 100 pairs, even though greater numbers
have been recorded during some years, such as 1995.

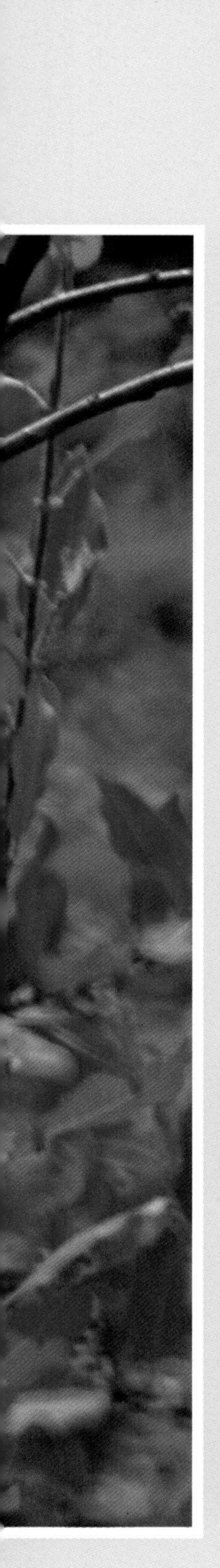

Οι Νυχτοκόρακες χρησιμοποιούν την "Πρόσθια Επίδειξη"
για να απειλήσουν εισβολείς στην επικράτειά τους
και να διατηρήσουν τις αποστάσεις τους μέσα στην αποικία.
Χαμηλώνουν το σώμα τους σχεδόν οριζόντια,
λυγίζουν ελαφρά τα πόδια τους,
μισανοίγουν τις φτερούγες και ανυψώνουν το φτέρωμά τους.

Night Herons use the Forward Display
to threaten an intruder and maintain
their distance within the colony.
They hold their body nearly horizontal
with legs slightly bent,
wings partly spread and their feathers erect.

Οι αρσενικοί Νυχτοκόρακες μεταφέρουν κλαδιά (μέση) και τα θηλυκά χτίζουν τις φωλιές. Μόλις το αρσενικό πουλί φτάσει στη φωλιά, εκτελεί μια "επίδειξη", ανεβοκατεβάζοντας διαδοχικά το κεφάλι του ενώ κρατάει το κλαδί στο ράμφος του (αριστερά), και μετά το παραδίδει στο ταίρι του. Τα ανώριμα πουλιά διαφέρουν σημαντικά από τα ενήλικα: έχουν καφετί φτέρωμα με πολλές άσπρες-μπέζ κηλίδες και γραμμώσεις (δεξιά).

Male Night Herons carry the sticks (middle) and the females build the nest. Upon its arrival at the nest site, the male performs the Bowing disply, bending and lifting its head with the twig in its bill (left) and then delivers it to its mate. Juvenile birds look much different than the adults, having a brown plumage, heavily spotted and streaked with buff-white (right).

Μετά τη δεύτερη εβδομάδα
από την εκκόλαψή τους,
οι νεαροί Νυχτοκόρακες
αρχίζουν να σκαρφαλώνουν στα κλαδιά
και τριγυρίζουν κοντά στη φωλιά τους
(αριστερά, δεξιά).

By the time they are two weeks old,
young Night Herons are able to climb
about in the branches,
wandering in the immediate
vicinity of the nest (left, right).

Μια Χουλιαρομύτα σκιάζει με μισάνοιχτα φτερά
τα ηλικίας λίγων ημερών μικρά της
που βρίσκονται ξαπλωμένα στον πάτο της φωλιάς
(αριστερά).

A Spoonbill uses its half-spread wings
to shade its young, just a few days old,
resting at the bottom of the nest (left).

Ένα ζευγάρι Χουλιαρομύτες
πάνω στη φωλιά τους (δεξιά).
Οι νεαρές Χουλιαρομύτες είναι πολύ
κοινωνικές με τα αδέλφια τους
και τα μικρά γειτονικών ζευγαριών.
Συχνά επισκέπτονται άλλες φωλιές
και τα ενήλικα αποδέχονται σχετικά
εύκολα τα ξένα μικρά (αριστερά κάτω).

A pair of Spoonbills on their nest (right).
Young Spoonbills are highly sociable
with their siblings and broods
from nearby pairs.
They often visit other nests
and strange young are well tollerated
even after the return of the adults
(left bottom).

Η Κερκίνη συντηρεί, μετά το δέλτα του Δούναβη, τον δεύτερο μεγαλύτερο αναπαραγώμενο πληθυσμό Λαγγόνων στην νότια Ευρώπη.

Lake Kerkini supports the second largest breeding population of Pygmy Cormorants in southern Europe, after the Danube delta.

Αρχές Σεπτεμβρίου. Το έδαφος στο δάσος έχει στεγνώσει και οι άδειες φωλιές θα περιμένουν τα πουλιά ως την επόμενη χρονιά. Η αναπαραγωγική περίοδος έχει τελειώσει.

Beginning of Sptember. The forest floor has dried-up and the empty nests will await the birds until the following year. The breeding season is over.

Τα βαλτογλάρονα γεννούν τα μικρά πιτσιλωτά αυγά τους μέσα σε ανάλαφρες φωλιές, πάνω στα πλατιά, σαρκώδη φύλλα των Νούφαρων (δεξιά).
Το 1995, η αποικία τους στην Κερκίνη - η μεγαλύτερη στην Ελλάδα - αριθμούσε περίπου 300 ζευγάρια Μαυρογλάρονα (αριστερά, επάνω) και Μουστακογλάρονα (αριστερά, μέση, κάτω).

Marsh terns lay their tiny speckled eggs in flimsy nests, built on the fleshy leaves of White Water-lilies (right).
In 1995 their colony at Kerkini, the largest in Greece, consisted of approximately 300 pairs of Black Terns (left, top) and Whiskered Terns (left, middle, bottom).

Τεράστιοι τάπητες από κίτρινα Νούφαρα (άκρη δεξιά, επάνω)
απλώνονται στα ρηχά νερά στο βορειοανατολικό άκρο της λίμνης.
Ανάμεσά τους, Φαλαρίδες (επάνω) και Καστανοκέφαλοι γλάροι (άκρη
δεξιά, μέση) ξεκουράζονται πάνω σε ξερά κλαδιά, ενώ ανώριμοι (μέση)
και ενήλικοι (δεξιά) Σταχτοτσικνιάδες καραδοκούν τη λεία τους.
Κορμοράνοι και Λαγγόνες (άκρη δεξιά, κάτω) λιάζονται
και περιποιούνται το φτέρωμά τους,

Large carpets of Fringed Water-lilies (far right, top)
spread on the shallow waters near the northeastern edge of the lake.
Among them Coots (above) and Black-headed Gulls (far right, middle)
rest on floating branches, while juvenile (middle) and adult (right)
Grey Herons stalk their prey.
Cormorants and Pygmy Cormorants (far right, bottom)
bask in the sun, preening their plumage.

Κίτρινα Νούφαρα (αριστερά), Ηλιόψαρο (μέση), Νερόφιδα (δεξιά).
Fringed Water-lilies (left), Pumpkinseed (middle), Grass Snakes (right).

Πνιγμένα στη βλάστηση,
τα κανάλια που βρίσκονται δίπλα στη λίμνη
αποτελούν σημαντικούς οικότοπους
για πολλά είδη, όπως
τα Δενδροχελίδονα (*Hirundo daurica*) (επάνω),
οι λιβελλούλες *Coenagrion puella*
(άκρη αριστερά, επάνω),
οι Δενδροβάτραχοι (άκρη αριστερά, κάτω)
και οι Νεροχελώνες (άκρη αριστερά, μέση).

Choked by aquatic vegetation,
the irrigation ditches next to the lake are important
habitats for many species, such as
Red-rumped Swallows (*Hirundo daurica*) (above),
Azure Damselflies (*Coenagrion puella*) (far left, top),
Tree Frogs (far left, bottom)
and Stripped-necked Terrapins (far left, middle).

Ο "ακροβάτης":
Η λιβελλούλα *Lestes viridis*.

The "acrobat":
The damselfly *Lestes viridis*.

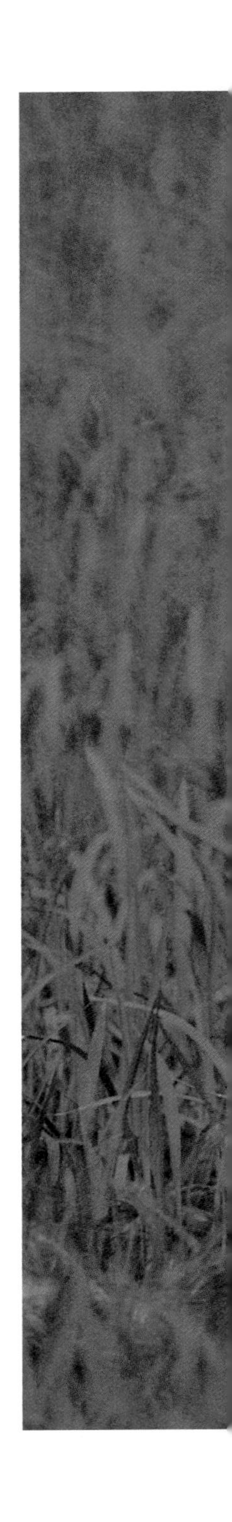

Πολλοί από τους Πελαργούς που φωλιάζουν στα παραλίμνια χωριά, αναζητούν τροφή στα υγρολίβαδα και τις πλημμυρισμένες φυτείες λεύκας, στις παρυφές της λίμνης.

Many of the White Storks that nest in the villages around the lake, feed in the wet meadows and the flooded poplar plantations at the edge of the lake.

Ένα Σκουφοβουτηχτάρι προσπαθεί να διώξει ένα παρείσακτο πουλί από την περιοχή του (επάνω), ενώ το ταίρι του επωάζει τα αυγά τους.
Η φωλιά τους είναι ένας ογκώδης σωρός από υδρόβια φυτά στηριγμένος σε μια τούφα ψαθιά, με το μεγαλύτερό της μέρος κάτω από το νερό.
Αν το πουλί που επωάζει ενοχληθεί, σκεπάζει τα αυγά με το υλικό της φωλιάς και τα εγκαταλείπει ώσπου να περάσει ο κίνδυνος.

A Great Crested Grebe defends its territory against an intruder (above), while its mate incubates their eggs. Their nest is a substantial heap of aquatic vegetation, lying mostly below water, tethered to a clump of reeds.
If the incubating bird is disturbed, it covers the eggs with nest material and swims away.

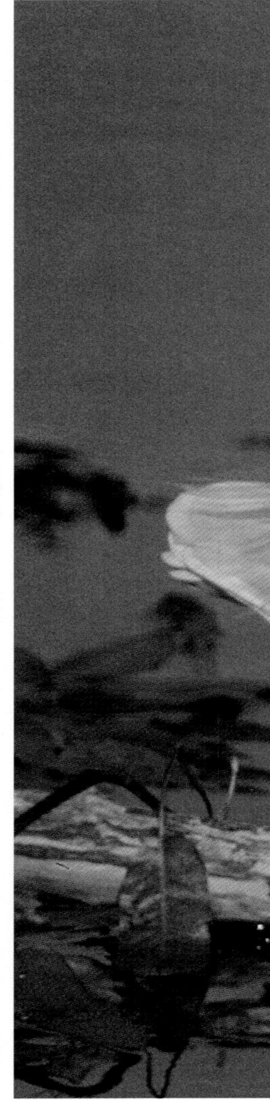

Ο σκελετός και οι μύες στο λαιμό των ερωδιών, όπως αυτός ο Κρυπτοτσικνιάς,
είναι προσαρμοσμένοι ώστε να επιτρέπουν το γρήγορο "ξεδίπλωμα"
και την αστραπιαία εκτίναξη που είναι απαραίτητη για να μπορούν να κυνηγούν με επιτυχία.

The skeleton and musculature in the neck of herons, such as this Squacco Heron,
is specially adapted to permit the extraordinarily rapid unfolding
and the swift forward lunge necessary for successful hunting.

Με ανεξάντλητη υπομονή, ένας Πορφυροτσικνιάς πλησιάζει τη λεία του, βαδίζοντας απίστευτα αργά, σχεδόν χωρίς να ταράζει την επιφάνεια του νερού. Το πουλί αυτό χρειάστηκε περίπου δέκα λεπτά για να καλύψει λίγα μέτρα μέχρι μια τούφα χορτάρια, όπου είχε παρατηρήσει κάποια κίνηση. Μόλις έφτασε κοντά, πλάγιασε το κεφάλι του για να εντοπίσει το θήραμά του, κι αστραπιαία βούτηξε βαθειά, καρφώνοντας ένα .... άτυχο Ηλιόψαρο με το αιχμηρό του ράμφος. Το ψάρι ήταν πολύ μεγάλο και χρειάστηκαν άλλα δέκα λεπτά για να μπορέσει να το καταπιεί (επόμενες σελίδες).

The epitome of patience, a Purple Heron stalks its prey in thigh-deep water, moving its feet with agonising slowness, barely causing a ripple in the water. It took this bird almost ten minutes to cover a distance of a few meters to the clump of grass where it had detected some movement. Once there, it craned its neck to pinpoint its prey, then in a flash it lunged deep, impaling a luckless Pumpkinseed on its dagger-like bill. The fish almost proved too big and it required a further ten minutes before the bird could manipulate it around and swallow it (following pages).

“Κλέφτες”.
“Winged seeds”.

Οι Μελισσοφάγοι *(Merops apiaster)* φωλιάζουν σε λίγα σημεία,
σε τρύπες στα πρανή των αναχωμάτων που περιβάλλουν
την κοίτη του ποταμού.

European Beeaters *(Merops apiaster)* nest in a few locations,
in holes on the sides of the embankments surrounding the river bed.

Ένα ορθόπτερο της οικογένειας Tettigoniidae (δεξιά),
ένας Κοκκινολαίμης *(Erithacus rubecula)* (επάνω, δεξιά),
μανιτάρια του γένους *Coprinus* (επάνω, μέση) και
ένα σποριασμένο Αγριοραδίκι *(Taraxacum officinale)* (επάνω,αριστερά).

A Bush-cricket of the family Tettigoniidae (right),
a Robin *(Erithacus rubecula)* (above, right),
mushrooms *(Coprinus* sp.*)* (above, middle) and
the seeds of a Dandelion *(Taraxacum officinale)* (above, left).

Στην οροσειρά της Κερκίνης ανθίζουν τα Πορφυρά Κρίνα (*Lilium martagon*) (άκρη δεξιά), η δηλητηριώδης Μπελλαντόνα (*Atropa belladonna*) (αριστερά, επάνω), οι Δακτυλίτιδες, *Digitalis ferruginea* (δεξιά, επάνω) και *Digitalis grandiflora* (αριστερά, κάτω) και η σπάνια ορχιδέα *Himantoglossum caprinum* (δεξιά, κάτω).

Among the many flowers that bloom on the Kerkini range are Martagon Lilies (*Lilium martagon*) (far right), the poisonous Deadly Nightshades (*Atropa belladonna*) (left, top), Rusty Foxgloves (*Digitalis ferruginea*) (right, top), Large Yellow Foxgloves (*Digitalis grandiflora*) (left, bottom) and the rare Balkan Lizard Orchid (*Himantoglossum caprinum*) (right, bottom).

Οι Μαυροπελαργοί που φωλιάζουν στις ρεματιές του όρους Κερκίνη, συχνά εμφανίζονται γύρω από την τεχνητή κοίτη της Βυρώνειας (επάνω). Στις αμμουδερές όχθες της κοίτης του Στρυμόνα, ανάμεσα στα χαλίκια, οι Ποταμοσφυριχτές (*Charadrius dubius*) (αριστερά, επάνω) μεγαλώνουν τα μικρά τους (αριστερά, κάτω).

Black Storks that nest in the ravines of Kerkini, often appear around the artificial bed of Vironia (above). On the sandy shores of the river Strymon, among the pebbles, Little-ringed Plovers *(Charadrius dubius)* (left, top) raise their young (left, bottom).

Ανάμεσα στα πουλιά που μαζεύονται στην κοίτη της Βυρώνειας για να ψαρέψουν, συγκαταλέγονται Σταχτοτσικνιάδες (δεξιά), Λευκοτσικνιάδες (μέση) και Ασημόγλαροι (αριστερά).

Among the birds attracted at the Vironia bed by the easy fishing are Grey Herons (right), Little Egrets (middle) and Herring Gulls (left).

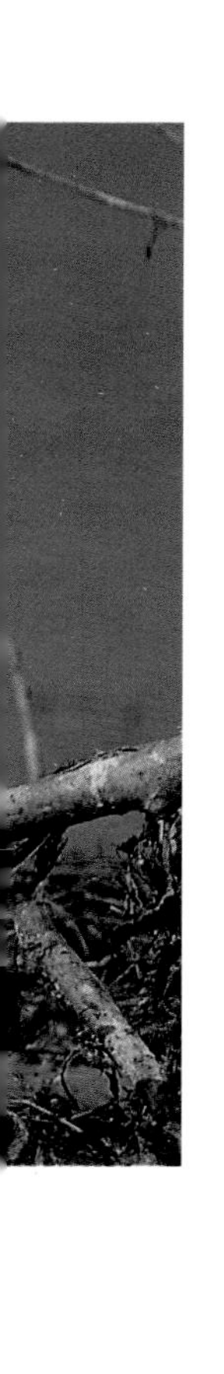

Χουλιαρομύτες σε μιά νησίδα του Στρυμόνα.
Spoonbills on an island in the Strymon.

Αφού εγκαταλείψουν την αποικία, οι νεαρές Χουλιαρομύτες συγκεντρώνονται κυρίως στα υγρολίβαδα απέναντι από το Μανδράκι και το Ακριτοχώρι (επάνω). Καθώς οι πλημμυρισμένες εκτάσεις στεγνώνουν, σχηματίζονται μικρές λιμνούλες που καλύπτονται από επιπλέοντα υδροχαρή φυτά, όπως το *Hydrocharis morsus-ranae* (αριστερά).

After leaving the colony, young Spoonbills mostly gather on the wet meadows that lie opposite Mandraki and Akritochori (above). As the flooded areas dry up, small pools are left behind, covered by a layer of floating aquatic plants including Frogbit (*Hydrocharis morsus-ranae*) (left).

Προς το τέλος του καλοκαιριού, καθώς τα νερά αποτραβιούνται
αποκαλύπτοντας τα λασποτόπια, εμφανίζονται τα πρώτα μεταναστευτικά πουλιά
όπως οι Μαχητές *(Philomachus pugnax)* (αριστερά, επάνω)
και οι Λασπότρυγγες *(Tringa glareola)* (αριστερά, κάτω).
Νεαροί Καλαμοκανάδες ψάχνουν για τροφή στα όρια του νερού (δεξιά).

Towards the end of summer, as the water level drops, creating shallow areas and
exposing the mudflats, the first migrants begin to appear including
Ruffs *(Philomachus pugnax)* (left, top)
and Wood Sandpipers *(Tringa glareola)* (left, bottom).
Young Black-winged Stilts may be encountered, feeding at the water's edge (right).

Το βορειοανατολικό άκρο της λίμνης, σχεδόν στεγνό, στα τέλη Αυγούστου (μέση).
Τα ρηχά σημεία έχουν πιά στεγνώσει τελείως (αριστερά, κάτω)
και τα πουλιά συνωστίζονται εκεί που απομένουν νερά (αριστερά, μέση)
ή μαζεύονται σε κοπάδια καθώς ετοιμάζονται για την μετανάστευση (αριστερά, επάνω).
Το φτέρωμα των Κορμοράνων, αντίθετα με άλλα υδρόβια πουλιά,
δεν απωθεί το νερό και τους επιτρεπει να καταδύονται πιό εύκολα.
Μετά το ψάρεμα όμως πρέπει να "απλώσουν" τις φτερούγες τους
για να στεγνώσουν (δεξιά).

The northeastern corner of the lake, almost dry at the end of August (middle).
Shallow areas are completely dry by then (left, bottom)
and birds congregate at the remaining water holes (left, middle)
or gather in loose flocks prior to their departure for their wintering grounds (left, top).
The plumage of Cormorants, unlike that of other waterbirds,
is not repellent, thus it becomes waterlogged, reducing buoyancy
and enabling them to dive more efficiently.
After fishing they need to spread their wings to dry (right).

Καθώς πέφτει το σούρουπο
οι τελευταίες ακτίνες του ήλιου
χρυσίζουν τα νερά του Στρυμόνα
(αριστερά).
Κάπου στη λίμνη, ένας μοναχικός
Σταχτοτσικνιάς ψαρεύει ακόμα (δεξιά).

As dusk spreads,
the last rays of the setting sun
gild the waters of the Strymon (left).
Somewhere on the lake, a solitary Grey
Heron is still fishing (right).

Ένα μικρό κοπάδι Φοινικόπτερα ψάχνει για τροφή στα ρηχά νερά απέναντι από το δυτικό ανάχωμα. Τα πουλιά προχωρούν αργά, με τα κεφάλια τους σκυμμένα, βυθισμένα στο νερό και στραμμένα προς τα πίσω, κουνώντας το λαιμό τους αριστερά-δεξιά. Ρουφούν νερό και μετά το διώχνουν, κατακρατώντας την τροφή τους με τα ελάσματα που φέρουν στα άκρα του καμπυλωτού τους ράμφους.

A small flock of Flamingos, feeding in the shallows across the western embankment. The birds move slowly, with their heads immersed, facing backwards, scything their necks left and right. They suck in and expel water, trapping food particles in the lamellae of their curved mandibles.

Οι ιστοί της αράχνης λαμποκοπούν καθώς τους λικνίζει το πρωινό αεράκι,
φορτωμένοι με αμέτρητες δροσοσταλίδες (αριστερά, επάνω).
Παράξενα μανιτάρια ξεφυτρώνουν στα υγρά σημεία (αριστερά, κάτω).
Στις άκρες του δάσους - που ολοένα συρρικνώνεται -
τα δένδρα ξεραίνονται και πεθαίνουν, αφού το διάστημα που μένουν
βυθισμένα στο νερό ξεπερνά τα όρια της αντοχής τους. (δεξιά)

Amidst the willows, beaded threads of gossamer sparkle as they sway
in the morning breeze (left, top) and strange,
wonderful mushrooms emerge in damp spots (left, bottom).
At the edges of the ever-shrinking forest, trees die
as the duration of flooding exceeds their tolerance levels. (right)

Οι Ροδοπελεκάνοι χρησιμοποιούν τη λίμνη σαν ενδιάμεσο σταθμό στα μεταναστευτικά τους ταξίδια.
Όταν το επίπεδο του νερού είναι χαμηλό, μεγάλα κοπάδια συγκεντρώνονται στα νησάκια και τα λασποτόπια,
ενώ τις χρονιές που η στάθμη του νερού παραμένει ψηλά το φθινόπωρο, οι αριθμοί τους είναι μικρότεροι.

White Pelicans use Kerkini as a staging post on their long migration journeys.
When the water levels are low, large flocks gather on the exposed islands and mudflats.
When autumn water levels remain high, their numbers are smaller.

Για λίγες βδομάδες, κάθε φθινόπωρο, οι οξιές φορούν τους εκθαμβωτικούς μανδύες τους, κόκκινους, κίτρινους, πυρρούς, πορτοκαλί, και το βουνό "φλέγεται". Το έδαφος σκεπάζεται από Κρόκους (*Crocus pulchellus*) (δεξιά, κάτω) και μανιτάρια όπως η *Laccaria amethystina* (δεξιά, επάνω).

For a brief period in autumn, the beeches don their dazzling cloaks of red, yellow, russet and orange, setting the mountain tops aflame. The ground is covered with Crocuses (*Crocus pulchellus*) (right, bottom) and mushrooms like the Amethyst Deceiver (*Laccaria amethystina*) (right, top).

Στο υγρό και σκιερό έδαφος του δάσους,
μέσα από το παχύ στρώμα των καφεκίτρινων,
ζαρωμένων φύλλων,
ξεπροβάλλει μεγάλη ποικιλία μανιταριών.
Ανάμεσα τους
το *Lycoperdon perlatum* (αριστερά, μέση)
και είδη που ανήκουν
στα γένη *Coprinus* (αριστερά, επάνω)
και *Lepiota* (αριστερά, κάτω).

The forest floor is a place of shadows and
dampness, inhabited by a wealth of fungi,
growing amidst the thick layer of browned,
shrivelled leaves.
Among them *Lycoperdon perlatum* (left, middle)
and species belonging
to the genera *Coprinus* (left, top)
and *Lepiota* (left, bottom).

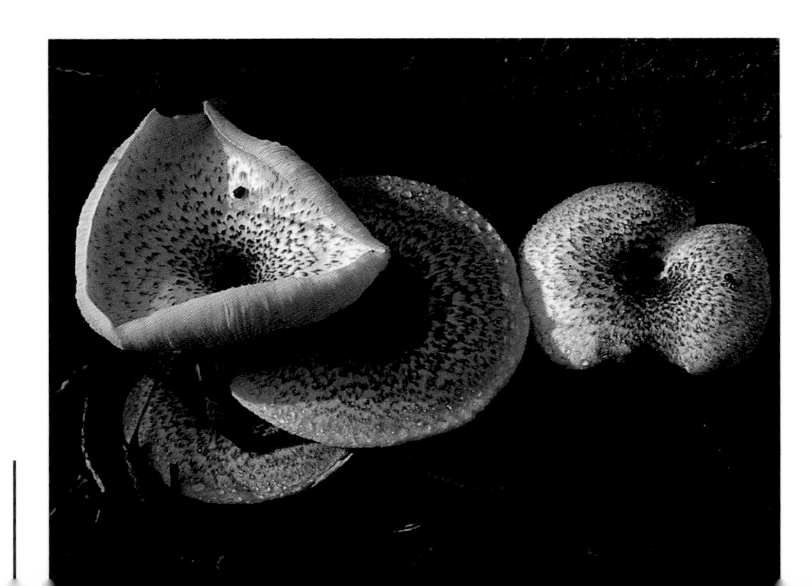

Τα υπέροχα χρώματα των φθινοπωρινών φύλλων
δεν οφείλονται σε κάποιο τυχαίο γεγονός.
Τα δένδρα αποικοδομούν τις χρωστικές των ιστών τους
και μεταφέρουν τα διαλυτά συστατικά στον κορμό
για αποθήκευση, προσπαθώντας να περισώσουν
ό,τι μπορούν πριν ρίξουν τα φύλλα τους.
Τα υπολείμματα των χρωστικών δημιουργούν
τις λαμπερές κίτρινες και κόκκινες αποχρώσεις (μέση).

The glorious colours of autumn leaves are not merely
a happy accident of nature.
The trees break down the pigments
in their tissues and transport the soluble products
back to the trunk for storage, trying to salvage what
they can before shedding their leaves.
The remainder of the degraded pigments give rise to
the brilliant yellow and red hues (middle).

Όταν το νερό φτάσει την ελάχιστη στάθμη του περιορίζεται
μόνο στη μόνιμα κατακλυσμένη πελαγική ζώνη.
Τα λιβάδια κατά μήκος της βόρειας όχθης και ολόκληρη
η δελταϊκή πεδιάδα αποκαλύπτονται, και μαζί τους οι καινούργιες εναποθέσεις
στα λασποτόπια κατά μήκος της κοίτης του ποταμού
που προεκτείνονται μέσα στη λίμνη.

At its lowest level the water covers only the permanent pelagic zone.
The meadows along the northern shore and all of the deltaic plane are exposed,
including the newly deposited mudflats along the river that project far into the lake.

Σμάρια από Καστανοκέφαλους Γλάρους με το χειμωνιάτικο "ξεπλυμένο" φτέρωμά τους, ακολουθούν τις βάρκες των ψαράδων.

Black-headed Gulls in their drab, winter plumage, flock in the wake of the fishing boats.

Αργυροτσικνιάδες.
Great White Egrets.

Ενώ τεράστια κοπάδια από πάπιες μαζεύονται στις ρήχες (δεξιά),
μικρές ομάδες Πρασινοκέφαλες συχνάζουν στις ήρεμες,
απομονωμένες αγκαλιές που σχηματίζει το ποτάμι μέσα στο δάσος (αριστερά).
Οι πελεκάνοι που ξεχειμωνιάζουν στην Κερκίνη συνηθίζουν την παρουσία των ψαράδων
και δεν διστάζουν να πλησιάσουν τις βάρκες.
Μεγάλες ομάδες πελεκάνων συχνάζουν στην ιχθυόσκαλα του Λιθότοπου όπου τσακώνονται
για τα ψάρια που απομένουν μετά το ξεψάρισμα των διχτυών (επόμενες σελίδες).

While the huge “rafts” of ducks spend most of their time in the shallows (right),
small groups of Mallards frequent the calm, secluded inlets of the river within the forest (left).
Pelicans overwintering at Kerkini become accustomed to the presence of fishermen
and do not hesitate to approach the boats.
Large groups frequent the harbour of Lithotopos,
where they squabble for the fish left over after the nets are cleaned (following pages).

Τσιχλογέρακο (*Accipiter nisus*) (άκρη αριστερά, επάνω),
Γερακίνα (*Buteo buteo*) (άκρη αριστερά, μέση, κάτω),
Χαβαρόνι (*Corvus frugilegus*) (αριστερά),
Νανόμπουφος (*Asio otus*) (δεξιά).

Sparrowhawk (*Accipiter nisus*) (far left, top),
Buzzard (*Buteo buteo*) (far left, center, bottom),
Rook (*Corvus frugilegus*) (left),
Short-eared Owl (*Asio otus*) (right).

Τα κοσμήματα της φύσης (επάνω).
Διασχίζοντας μια γράνα γεμάτη αγριόχορτα συνάντησα
ξαφνικά ένα Νανόμπουφο που έτρωγε κάποιο τρωκτικό.
Ξαφνιασμένο, το πουλί άπλωσε τις φτερούγες του,
σκέπασε το θήραμά του και με "προκάλεσε" με τα αστραφτερά,
πορτοκαλί του μάτια, κροταλλίζοντας το ράμφος του
για να με τρομάξει (δεξιά).

The jewellery of nature (above).
Walking through an overgrown ditch,
I came across a Short-eared Owl feeding on a rodent.
Startled, the bird mantled over its prey and challenged me
with fiery orange eyes, clicking its bill to threaten me (right).

Διπλοκεφαλάς (*Lanius excubitor*).
Great Grey Shrike (*Lanius excubitor*).

Πήγα να θαυμάσω το χιονισμένο τοπίο:

Άνθρωποι της πόλης!
Πουλώ σας το καπέλο μου,
ομπρέλλα από χιόνι.
ΜΠΑΣΟ

I came to admire the snow-clad view:

City-dwellers
I offer you my hat,
snow umbrella.
BASO

ΓΛΩΣΣΑΡΙ

Αλλουβιακό ριπίδιο: Ενας κωνοειδής σχηματισμός από φερτά υλικά, ο οποίος δημιουργείται σε σημεία που απότομη αλλαγή των κλίσεων - για παράδειγμα στη μετάπτωση από μιά ορεινή ζώνη σε μιά ανοιχτή πεδιάδα - επιβραδύνει τη ροή ποταμών ή χειμάρρων.
Δέλτα: Προσχωσιγενής σχηματισμός από άμμο, λάσπη και άργιλλο, ο οποίος δημιουργείται στο σημείο εκβολής ενός ποταμού σε στάσιμη υδάτινη μάζα, όπου η ροή μειώνεται και διασπείρονται τα φερτά υλικά. Το τμήμα που βρίσκεται έξω από το νερό και διασχίζεται από τις κοίτες του ποταμού, τα φυσικά τους αναχώματα και ενδιάμεσα έλη, αποτελεί τη δελταϊκή πεδιάδα. Το υπολιμναίο τμήμα που εκτείνεται προς τον πυθμένα αποτελεί το δελταϊκό μέτωπο. Η εναπόθεση ιλύος και αργίλλου επεκτείνουν το δελταϊκό μέτωπο σε βάρος της υδάτινης μάζας. Το δέλτα του Στρυμόνα ανήκει στον τύπο "πέλματος πτηνού", στον οποίο κυριαρχούν οι ποτάμιες διεργασίες και προωθείται μία κύρια κοίτη που προσομοιάζει με δάκτυλο πέλματος πτηνού.
Κλαστικά υλικά: Τα συμπαγή προϊόντα της διάβρωσης που παρασύρονται από το νερό.
Νεογενής περίοδος: Στη Γεωλογική χρονική κλίμακα, ο Φανεροζωικός Αιώνας - η περίοδος κατά την οποία υπάρχουν απολιθώματα οργανισμών - άρχισε πριν από 570 εκατομμύρια χρόνια. Υποδιαιρείται σε τρείς Εποχές, την Παλαιοζωική, την Μεσοζωική και την Καινοζωική. Η Καινοζωική Εποχή, γνωστή και σαν "Εποχή των Θηλαστικών", άρχισε πριν 65 εκατομμύρια χρόνια και υποδιαιρείται με τη σειρά της στην Παλαιογενή και τη Νεογενή περίοδο. Η Νεογενής περίοδος άρχισε πριν 24 εκατομμύρια χρόνια και διαρκεί ως σήμερα. Χωρίζεται σε τέσσερεις υποπεριόδους, τη Μειόκαινο (24 εκατομμύρια χρόνια πριν), την Πλειόκαινο (5 εκατομμύρια χρόνια πριν), την Πλειστόκαινο (1,65 εκατομμύρια χρόνια πριν) και την Ολόκαινο ή Πρόσφατη υποπερίοδο (20.000 χρόνια πριν). Η επιφάνεια της Γης απέκτησε τη μορφολογία που γνωρίζουμε σήμερα κατά τη διάρκεια της Νεογενούς περιόδου.
Σύμβαση Ραμσάρ: Η Σύμβαση για τους Υγρότοπους Διεθνούς Σημασίας ιδιαίτερα σαν Ενδιαίτημα για τα Υδρόβια Πουλιά, η οποία έγινε γνωστή με το όνομα της ομώνυμης πόλης του Ιράν, όπου τα συμβαλλόμενα κράτη υπέγραψαν το τελικό κείμενο στις 2 Φεβρουαρίου 1971. Η Ελλάδα ήταν η έβδομη χώρα που υπέγραψε τη Σύμβαση Ραμσάρ και την επεκύρωσε με το Νομοθετικό Διάταγμα 191/74, αναλαμβάνοντας την προστασία 11 υγροτόπων Διεθνούς Σημασίας. Οι "Υγρότοποι Ραμσάρ" είναι οι εξής: Δέλτα του Έβρου, Λίμνη Μητρικού και λιμνοθάλασσες της Μέσης, Λίμνη Βιστωνίδα και Πόρτο-Λάγος, Δέλτα του Νέστου, Λίμνη Κερκίνη, Λίμνες Κορώνεια και Βόλβη, Δέλτα των Αξιού-Λουδία-Αλιάκμονα, Λίμνη Μικρή Πρέσπα, Δέλτα των Λούρου-Άραχθου (Αμβρακικός), Λιμνθάλασσα Μεσολογγίου και Δέλτα του Αχελώου, Λιμνοθάλασσα Κοτύχι.
Παγετώδη επεισόδια: Η "Εποχή των Παγετώνων" άρχισε στα τέλη της Πλειοκαίνου, περίπου πριν από 3 εκατομμύρια χρόνια. Οι ήπειροι άρχισαν να καλύπτονται από παγετώνες πριν 2,5 εκατομμύρια χρόνια. Η επέκταση των παγετώνων δεν ήταν συνεχής αλλά διακοπτόταν από θερμότερες περιόδους (μεσοπαγετώδη διαστήματα). Αλλαγές στην τροχιά της Γης σε σχέση με τον ήλιο προτείνονται σαν πιθανή αιτιολογία αυτών των μεταπτώσεων.
Παρόχθια ζώνη: Η συνδετική επιφάνεια μεταξύ χερσαίου και υδάτινου περιβάλλοντος. Είναι ένα σαφές, πολύπλοκο ενδιαίτημα που αναπτύσσεται κοντά ή σε επαφή με νερό και περιοδικά κατακλύζεται. Ξεχωρίζει από την παρουσία βλάστησης που χρειάζεται άφθονα ελεύθερα και διαθέσιμα νερά, ή συνθήκες πιό υγρές από τις κανονικές. Οι παρόχθιες ζώνες διαφέρουν από τις γειτονικές, ξηρότερες περιοχές, αποτελούν σημαντική πηγή ποικιλότητας ζωικών και φυτικών ειδών και έχουν μεγαλύτερη παραγωγή βιομάζας.
Πλεξοειδής ποταμός: Ποταμός με πολλά διαπλεκόμενα κανάλια που χωρίζονται από νησίδες σχηματισμένες από χονδρόκοκκα φερτά υλικά. Πλεξοειδείς κοίτες σχηματίζονται σε σημεία όπου εναποτίθενται ιζήματα σε μεγάλες ποσότητες, όπως είναι τα αλλουβιακά ριπίδια.
Υδροχαρής και υγροτοπική βλάστηση: Πολλά μακροφυτικά είδη έχουν διαφοροποιηθεί ώστε να επιζούν υπό συνθήκες συνεχούς ή προσωρινής, πλήρους ή μερικής βύθισης στο νερό. Διακρίνονται δύο κατηγορίες: Τα *υδροχαρή* (υδρόφιλα) φυτά, τα οποία μπορούν να συμπληρώσουν τον βιολογικό τους κύκλο με τα βλαστικά τους μέρη πλήρως βυθισμένα ή επιπλέοντα, και τα *υγροτοπικά* φυτά, τα οποία περνούν μέρος μόνο του βιολογικού τους κύκλου σε υδάτινο περιβάλλον ή είναι μερικώς μόνο βυθισμένα. Τα πρώτα χωρίζονται σε: *ριζόφυτα* (φυτά ριζωμένα στον πυθμένα με το βλαστικό τους τμήμα βυθισμένο), *επιπλέοντα ριζόφυτα* (φυτά ριζωμένα στον πυθμένα με επιπλέοντα φύλλα) και *πλευστόφυτα* (φυτά που επιπλέουν ελεύθερα είτε μέσα στο νερό, είτε στην επιφάνεια). Τα δεύτερα χωρίζονται σε: *πλευστοελόφυτα* (φυτά που επιπλέουν ελεύθερα με τη ρίζα τους μόνο βυθισμένη), *ελόφυτα* (ποώδη φυτά των οποίων οι ρίζες και το κατώτερο τμήμα των φύλλων και βλαστών καλύπτονται από το νερό αλλά το ανώτερο τμήμα τους βρίσκεται πάνω από την επιφάνεια) και *φανερόφυτα* (δενδρώδη και θαμνώδη είδη ριζωμένα στο υγροτοπικό έδαφος που εξέχουν πολύ πάνω από την επιφάνεια του νερού).

GLOSSARY

Alluvial fan: A cone-shaped structure of transported material that forms where an abrupt reduction in slope - i.e. the transition from a mountainous area to a broad valley - causes a river or stream to slow down.
Aquatic vegetation: A large number of vascular macrophytic species have developed adaptations to life in circumstances of continuous or temporary, complete or partial, submergence in water. *Fully aquatic species* complete their life cycle with their vegetative parts submerged or floating. They can be classified as: *submerged rhizophytes* (plants rooting in the sediment with their vegetative parts fully submerged); *floating-leaved rhizophytes* (plants rooting in the sediment, with floating leaves); *pleustophytes* (plants not anchored by roots but floating freely in the water column or on the surface). *Wetland species* spend only part of their lifecycle in an aqueous environment or are only partially submerged. The latter can be classified as: *pleustohelophytes* (plants floating freely with only their root system submerged); *helophytes* (herbaceous plants rooting in the sediment, with their root system and the basal part of leaves and stems submerged, but emerging far above the water surface); *phanerophytes* (woody shrubs and trees rooting in the wetland soil and emerging far above the water surface).
Braided river: A river that has many interwinding channels separated by bars of coarse sediment. Braided river beds develop where sediments are supplied at a very high rate, for example on an alluvial fan.
Clastic material: The solid products of erosion, carried along by water.
Delta: A depositional body of sand, silt and clay, formed when a river discharges into a body of standing water so that its current dissipates and drops its load of sediment. The upper surface of a delta, characterised by distributary channels, their natural levees and intervening swamps, forms the deltaic plain. The underwater slope extending downward from the plane is the deltaic front. Accumulations of silt and clay advance the deltaic front within the body of water. The Strymon forms a "Birdfoot Delta", dominated by the river functions that continuously advance the main river bed, creating the appearance of a bird's foot.
Fluvial system: A river with its tributaries, associated drainage basin and floodplain.
Glaciation: The modern Ice Age begun during the late Pliocene, some 3 million years ago (mya) and continental glaciers came into existence about 2.5 mya. The spreading of glaciers was episodic with warm intervals (interglacial periods) between pulses of severe glaciation. Changes in the Earth's relationship with the sun are the most probable cause of these oscillations.
Lacustrine system: A lake with its surrounding marshlands.
Neogene: In the geological time scale, the Phanerozoic eon - the period during which identifiable fossils exist - begun about 570 mya. It is divided in three primary intervals, the Paleozoic, the Mesozoic and the Cenozoic eras. The Cenozoic era, the interval of modern life also known as the "Age of Mammals", begun 65 mya and is in turn divided into the Paleogene and Neogene periods. The Neogene period begun 24 mya and extends to the present. Four epochs are distinguished within the Neogene: the Miocene (24 mya), the Pliocene (5 mya), the Pleistocene (1.65 mya) and the Holocene or Recent (20,000 thousand years ago). It was during the Neogene that the modern world assumed the shape which is familiar to us today.
Ramsar Convention: The Convention of Wetlands of International Importance especially as Waterfowl Habitat, named after the city of Ramsar, in Iran, where the signatory parties agreed on the Final Act, on February 2, 1971. Greece was the 7th signatory member and ratified the Convention in 1974, undertaking to protect 11 wetlands of International Importance. The "Ramsar Wetlands" are: Evros Delta, Lake Mitrikou and surrounding lagoons. Lake Vistonis and Porto-Lagos, Nestos Delta, Lake Kerkini, Lakes Koronia and Volvi, Axios-Loudias-Aliakmon Delta, Lake Mikri Prespa, Louros-Arahthos Delta (Amvrakikos), Mesologi Lagoons and Acheloos Delta, Kotihi Lagoon.
Riparian zone: The interface between terrestrial and aquatic environments. It is a complex ecosystem existing adjacent to, or near, water, occasionally flooded by it. Riparian zones can be identified by the presence of vegetation that requires free or unbound water or conditions more moist than normal. They are also different from the surrounding drier areas, critical sources of plant and animal diversity and more productive in biomass.
Sedimentation: The deposition of material on Earth's surface by water, ice or air.

ΒΙΒΛΙΟΓΡΑΦΙΑ / REFERENCES

Αρριανούτσου-Φαραγγιτάκη, Μ. και συν., 1986. Πρόγραμμα οριοθέτησης υγροβιοτόπων Σύμβασης Ραμσάρ, Λίμνη Κερκίνη. ΥΠΕΧΩΔΕ, Αθήνα.

Biber, O., Crivelli, A., 1978. Mission en Gréce. Duplicated report, Tour du Valat, France.

Chasen, F. N., 1921. Field notes on the birds of Macedonia. With special reference to the Struma plain. *Ibis* 11: 185-227.

Crivelli, A., Jerrentrup, H., Hallmann, B., 1988. Preliminary results of a complete census of colonial wading birds in Greece in spring, 1985-1986. *Hellenic Ornithological Society Newsletter* 4: 31-32.

Crivelli, A., Grillas, P., Lacaze, B. Responces of vegetation change to a rise in water level at the Kerkini reservoir (1982-1991), a Ramsar site in northern Greece. In press, *Environmental Management.*

Crivelli, A., Jerrentrup, H., Nazirides, T., Grillas, P. Effects on fisheries and waterbirds of raising the water levels at the Kerkini reservoir, a Ramsar site in northern Greece. In press, *Environmental Management.*

Economidis, P. S., 1991. Chek list of freshwater fishes of Greece. Hell. Soc. Prot. Nat., Spec. Publ., Athens.

Gerakis, P. A., (ed.), 1992. Conservation and Management of Greek Wetlands. Proceedings of a Greek Wetlands Workshop held in Thessaloniki, Greece. IUCN Publication.

Glegg, W., 1924. A list of the birds of Macedonia. *Ibis* 46-86.

Hallmann, B., 1981. Note on bird nesting and conservation in some Greek wetlands. *Nature (Bulletin of the Hellenic Society of Protection of Nature)* 25: 44-48.

Hallmann, B., 1982. Η κρίση των υγροτόπων. *Οικολογία και Περιβάλλον,* Αθήνα

Hammond, N., Griffith, G., 1979. A History of Macedonia. Vol I, II, III. Oxford University Press, England.

Handrinos, G., Akriotis, T. The birds of Greece. In press, Croom-Helm, London.

Καρανδεινός, Μ., (εκδ.), 1992. Το κόκκινο βιβλίο των απειλουμένων σπονδυλοζώων της Ελλάδας. Ελλ. Ζωολογική Εταιρία, Αθήνα.

Κιλικίδης, Σ., και συν, 1987. Οικολογική έρευνα της λίμνης Κερκίνης με σκοπό τη βελτίωση της ιχθυοπαραγωγής. Α.Π.Θ., Θεσσαλονίκη.

Κλώσσας, Α., 1975. Συμβολή εις την υδροβιολογικήν μελέτην τεχνητής λίμνης Κερκίνης Σερρών. Υπ. Γεωργίας, Γεν. Διεύθυνση Δασών, Αθήνα.

Kraus, M., Hohlt, G., Conradty, P., Bauer, E., 1969. Zur Kenntnis der Vogelwelt Nordgriechenlands III. *Journal für Ornithologie* 110: 83-89.

Leake, W., 1863. Travells in northern Greece. London, England.

Μπαρτζούδης, Γ., 1995. Τα εγγειοβελτιωτικά έργα στην πεδιάδα Σερρών. Διεύθυνση Εγγείων Βελτιώσεων, Σέρρες.

Ναζηρίδης, Θ. Προσωπική επικοινωνία/Personal communication.

Nazirides, T., Papageorgiou, N. The breeding biology of Pygmy Cormorants, a vulnerable bird species, at Lake Kerkini, nortern Greece. In press, *Colonial Waterbirds.*

Pyrovetsi, M., Papastergiadou, E., 1992. Biological conservation of water level fluctuations in a wetland of international importance, lake Kerkini, Macedonia, Greece. *Environ. Conservation,* 19: 235-244.

Psilovikos, A., Syrides, G., 1984. Neogene and Quaternary paleoenvironments in the Northern Aegean area. *Ann. Geol. Pays Hellen.* XXXII: 105-114.

Psilovikos, A., Syrides, G., 1983. Stratigraphy, Sedimentation and Paleogeography of the Strymon basin, E. Macedonia/Northern Aegean sea, Greece. *Clausthaler Geologische Abh.* 44: 55-87

Raines, R. J., 1962. The distribution of birds in northeastern Greece in summer. *Ibis* 104: 490-502.

Σαμσάρης, Δ., 1976. Ιστορική γεωγραφία της ανατολικής Μακεδονίας κατά την αρχαιότητα. Εταιρία Μακεδονικών Σπουδών, Θεσσαλονίκη.

Sladen, A., 1917. Notes on birds recently observed in Macedonia. *Ibis* 10: 429-433.

Sladen, A., 1918. Further notes on the birds of Macedonia. *Ibis,* 292-300.

Τσαχαλίδης, Ε., 1990. Βιολογία και οικολογία του Λευκοτσικνιά στην τεχνητή λίμνη Κερκίνης Σερρών. Διδακτορική διατριβή, Α.Π.Θ., Θεσσαλονίκη.

Voisin, C., 1991. The herons of Europe. T&AD Poyser, London.

Χανδρινός, Γ. Προσωπική επικοινωνία/Personal communication.

Χανδρινός, Γ., 1984. Χειμωνιάτικο οδοιπορικό στους Ελληνικούς Υγρότοπους. *Οικολογία και Περιβάλλον,* Αθήνα.

Ψιλοβίκος, Α., 1994. Μελέτη-Έρευνα περιβαλλοντικών επιπτώσεων των έργων προστασίας περιοχών περί τον άνω και κάτω ρού του ποταμού Στρυμόνα, τη λίμνη Κερκίνη και χειμάρρους της πεδιάδας Σερρών. ΥΠΕΧΩΔΕ, Επιτροπή Ερευνών Α.Π.Θ., Θεσσαλονίκη.

ΠΑΡΑΡΤΗΜΑ

Οι κατάλογοι των ειδών που συναντώνται στη λίμνη και τα γειτονικά βουνά έχουν συμπληρωθεί με βάση τις βιβλιογραφικές αναφορές, προσωπικές παρατηρήσεις και πληροφορίες από διάφορα άτομα που ασχολούνται με την περιοχή της Κερκίνης. Με εξαίρεση τον κατάλογο των πουλιών, δεν πρέπει να θεωρηθούν ολοκληρωμένοι, μιά και η χλωρίδα, η ερπετοπανίδα και τα θηλαστικά της περιοχής δεν έχουν πλήρως καταγραφεί ακόμα. Χρησιμοποιήθηκαν μόνο τα Λατινικά ονόματα προς αποφυγή συγχίσεων.

APPENDIX

The lists of species occurring around the lake or in the adjacent mountains have been compiled from data found in the literature, personal observations and information contributed by several individuals. With the exception of birds, they should not be considered complete, as the flora, herpetofauna and mammals of the Kerkini area have not been properly assessed so far. Only the Latin names have been used to avoid confusion.

Κατάλογος των φυτών που συναντώνται στην ευρύτερη περιοχή της Κερκίνης.
List of trees, plants and herbs recorded within the broader Kerkini area.

PHYCOPHYTA
CLADOPHORACEAE
Cladophora glomerata
BRYOPHYTA
RICCIACEAE
Riccia fluitans
Ricciocarpus natans
PTERIDOPHYTA
AZOLLACEAE
Azolla filiculoides
EQUISETACEAEA
Equisetum palustre
Hippuris vulgaris
MARSILEACEAE
Marsilea quadrifolia
PTERIDACEAE
Asplenium adiantum-nigrum
Polypodium vulgare
Polystichum sp.
Pteridium aquilinum
SALVINIACEAE
Salvinia natans
SPERMATOPHYTA
ACERACEAE
Acer campestre
Acer negundo
Acer platanoides
AMARANTHACEAE
Amaranthus albus
Amaranthus daflexus
Amaranthus retroflexus
ANACARDIACEAE
Pistacia terebinthus
AQUIFOLIACEAE
Ilex aquifolium
ARACEAE
Arum italicum
Arum maculatum
Dracunculus vulgaris
ARALIACEAE
Hedera helix
ARISTOLOCHIACEAE
Aristolochia clematitis
ASCLEPIADACEAE
Cynanchum acutum
Periploca graeca
BETULACEAE
Alnus glutinosa
BORAGINACEAE
Anchusa officinalis
Echium italicum
Heliotropium europaeum
Myosotis scorpioides
Onosma taurica
BUTOMACEAE
Butomus umbellatus
CALLITRICHACEAE
Callitriche obtusangula
CAMPANULACEAE
Campanula glomerata
Campanula persicifolia
Campanula ramosissima
Campanula rapunculoides
Campanula rotundifolia
Campanula rupestris ssp
anchusaeflora
Campanula spathulata
Campanula trachelium
Legousia speculum-veneris
CANNABACEAE
Cannabis sativa
Humulus lupulus
CAPRIFOLIACEAE
Lonicera implexa
Sambucus ebulus
Sambucus nigra
CARYOPHYLLACEAE
Dianthus deltoides
Dianthus carthusianorum
Dianthus sp.
Kohlrauschia lumacea
Lychnis sp.
Myosoton aquaticum
Petrorhagia prolifera
Petrorhagia velutina
Saponaria officinalis
Silene vulgaris
CERATOPHYLLACEAE
Ceratophyllum demersum
Ceratophyllum submersum
CHENOPODIACEAE
Atriplex hastata
Chenopodium albym
Chenopodium botrys
Salsola kali
CISTACEAE
Cistus incanus
Cistus monspeliensis
COMPOSITAE
Achillea millefolium
Achillea tomentosa
Anthemis tinctoria
Arctium minus
Artemisia campestris
Artemisia scoparia
Artemisia vulgaris
Aster salignus
Bidens tripartia
Calendula arvensis
Carduus phycocephalus
Centaurea sp.
Chamaemelum nobile
Chondrilla juncea
Chrysanthemum parthenicum
Cichorium intybus
Cirsium acarna
Cirsium arvense
Cirsium palustre
Cirsium vulgare
Conyza canadensis
Crepis foetida
Dittrichia viscosa
Doronicum columnae
Echinops graecus
Erigeron acer
Lactuca saligna
Lactuca serriola
Lactuca viminea
Leontodon crisous
Onopordum illyricum
Onopordum tauricum
Pallenis spinosa
Picris echioides
Pulicaria dysenterica
Pulicaria vulgaris
Silybum marianum
Taraxacum officinale
Xanthium spinosum
Xanthium strumarium
CONVOLVULACEAE
Calystegia sylvatica
Convolvulus alpheoides
Convolvulus arvensis
Cuscuta epithymum
CORNACEAE
Cornus mas
CORYLACEAE
Carpinus orientalis
Coryllus avelana
Ostrya carpinifolia
CRUCIFERAE
Alyssum campestre
Alyssum saxatile
Derteroa obliqua
Cardamine bulbifera
Erysimum graecum
Lepidium ruderale
Lunaria annua
Nasturtium officinale
Raphanus raphanistrum
Rorippa amphibia
Rorippa prolifera
Rorippa sylvestris
Sinapis alba
Sinapis arvensis
Sisymbrium irio
Thlaspi montanum
CYPRESSACEAE
Juniperus oxycedrus
CYPERACEAE
Carex pendula
Cyperus fuscus
Cyperus longus
Cyperus rotundus
Cyperus serotinus
Eleocharis palustris
Scirpus holoschoenus
Scirpus lacustris
Scirpus maritimus
Scirpus tabernaemontani
DIPSACACEAE
Dipsacus fullonum
Knautia arvensis
EUPHORBIACEAE
Euphorbia cyparissias
Euphorbia sp.
FAGACEAE
Castanea sativa
Fagus moesiaca
Fagus sylvatica
Quercus coccifera
Quercus conferta
Quercus pubescens
GENTIANACEAE
Centaurium erythraea
Centaurium soicatum
GERANEACEAE
Erodium malacoides
Geraneum macrorhizum
Geraneum sanguineum

GRAMINAE
Agrostis alba
Agrostis stolonifera
Arundo donax
Bromus arvensis
Cynodon dactylon
Dactylis glomerata
Dichanthium ischaemum
Digitaria sanguinalis
Echinochloa crus-galli
Eragrostis cilianensis
Erianthus ravenae
Festuca sp.
Leersia oryzoides
Lolium perenne
Paspalum paspaloides
Phalaris arundinacea
Polypogon monspeliensis
Sorghum halepense
GUTTIFERAE
Hypericum perforatum
HALORAGACEAE
Myriophyllum spicatum
Myriophyllum verticillatum
HYDROCHARIDACEAE
Hydrocharis morsus-ranae
IRIDACEAE
Crocus pulchellus
Crocus flavus
Crocus sp.
Gladiolus sp.
Iris pseudacorus
Iris pseudopumilla
JUGLANACEAE
Juglans regia
JUNCACEAE
Juncus inflexus
Juncus subulatus
LABIATAE
Ajuga reptans
Ballota nigra
Lamiastrum gleobdolon
Lamium amplexicaule
Leonorus cardiaca
Lycopus exaltatus
Marrubium peregrinum
Mentha aquatica
Mentha longifolia
Mentha microphylla
Mentha pulegium
Micromeria juliana
Origanum vulgare
Prunella vulgaris
Salvia sclarea
Stachys palustris
Teucrium pollium
Thymus pulegioides
Thymus vulgaris
LEGUMINOSAE
Amorpha fructicosa
Anthyllis hermanniae
Calycotome villosa
Galega officinalis
Gleditschia triacanthus
Glycyrrhiza echinata
Lathyrus sp.
Medicago hispida
Medicago minima
Melilotus alba
Melilotus indica
Melilotus officinalis
Ononis spinosa
Pisum elatius
Robinia pseudoacacia
Spartium junceum
Trifolium angustifolium
Trifolium arvense
Trifolium campestre
Trifolium fragiferum
Trifolium hybridum
Trifolium medium
Trifolium purpureum
Trifolium repens
Trifolium subterraneum
LEMNACEAE
Lemna gibba
Lemna minor
Spirodela polyrhiza
LENIBULARIACEAE
Urticularia vulgaris
LILIACEAE
Allium sphaerocephalon
Allium ursinum
Asparagus acutifolius
Asphodeline lutea
Asphodelus sp.
Lilium martagon
Lilium sp.
Muscari sp.
Ornithogalum montanum
Ornithogalum nutans
Polygonatum odoratum
Ruscus aculeatus
Scilla nivalis
LYTHRACEAE
Lythrum salicaria
MALVACEAE
Abutilon theophrasti
Althaea officinalis
Althaea rosea
Malva sylvestris
MEYNANTHACEAE
Nymphoides peltata
MORACEAE
Ficus carica
Morus alba
NAJADACEAE
Najas gracillima
NYMPHAEACEAE
Nymphaea alba
OLEACEAE
Phillyrea latifolia
Fraxinus ornus
Fraxinus sp.
ONAGRACEAE
Epilobium angustifolium
Epilobium hirsutum
Epilobium tetragonum
ORCHIDACEAE
Anacamptis pyramidalis
Cephalanthera longifolia
Dactylorhiza romana
Himantoglossum caprinum
Ophrys mammosa
Orchis morio
Orchis purpurea
OROBANHACEAE
Orobanche sp.
PAPAVERACEAE
Corydalis ochroleuca
Corydalis solida
Hypecoum imberbe
Papaver rhoeas
PHYTOLACCACEAE
Phytolacca americana
PINACEAE
Abies borisii-regis
Pinus brutia
Pinus nigra
Pinus sylvestris
PLANTAGINACEAE
Plantago arenaria
Plantago lagopus
Plantago lanceolata
Plantago major
PLATANACEAE
Platanus orientalis
POLYGALACEAE
Polygala nicaeensis
POLYGONACEAE
Polygonum amphibium
Polygonum arenaria
Polygonum aviculare
Polygonum hydropiper
Polygonum mite
Polygonum persicaria
Rumex acetosella
Rumex conglomeratus
Rumex crispus
Rumex palustris
Rumex pulcher
Rumex sanguineus
PORTULACACEAE
Portulaca oleracea
POTAMOGETONACEAE
Potamogeton crispus
Potamogeton fluitans
Potamogeton gramineus
Potamogeton nodosus
Potamogeton pectinatus
PRIMULACEAE
Cyclamen hederifolium
Lysimachia punctata
Primula veris
Primula vulgaris
RANUNCULACEAE
Anemone blanta
Anemone hortensis
Anemone ranunculoides
Clematis flammula
Clematis vitalba
Helleborus cyclophyllus
Ranunculus fluitans
Ranunculus muricatus
Ranunculus neapolitanus
Ranunculus repans
Ranunculus sardus
Ranunculus scleratus
Ranunculus trichophyllus
RHAMNACEAE
Paliurus spina-christi
ROSACEAE
Agrimonis eupatoria
Crataegus monogyna
Fragaria vesca
Potentilla reptans
Prunus insitita
Prunus spinosa
Pyrus amygdaliformis
Rosa canina
Rubus caesius
Rubus canascens
Rubus fructicosus
Rubus ulmifolius
Sanguisorba minor
RUBIACEAE
Galium aparine
Galium palustre
Galium verum
SALICACEAE
Populus alba
Populus canadensis
Populus nigra
Populus tremula
Salix alba
Salix amplexicaulis
Salix babylonica
Salix fragilis
Salix purpurea
Salix triandra
SAXIGRAGACEAE
Saxifraga stellaris
SCROPHULARIACEAE
Digitalis ferruginea
Digitalis grandiflora
Digitalis lanata
Digitalis lutea
Linaria vulgaris
Scrophularia sp.
Verbascum blataria
Verbascum graecum
Verbascum phlomoides
Verbascum pulverolentum
Verbascum thapsus
Verbascum thapsiforme
Verbascum sinuatum
Veronica anagalis-aquatica
Veronica beccabunga
SOLANACEAE
Atropa belladonna
Datura metel
Datura stramonium
Solanum dulcamara
Solanum elaeagnifolium
Solanum nigrum
SPARAGNIACEAE
Sparagnium erectum
Sparagnium nigrum
TAMARICACEAE
Tamarix parviflora

Tamarix smyrnensis
TILLIACEAE
Tillia argentea
TRAPACEAE
Trapa natans
TYPHACEAE
Typha angustifolia
Typha latifolia
ULMACEAE
Ulmus minor
Ulmus procera
UMBELLIFERAE
Conium maculatum
Daucus carota
Daucus maximus
Eryngium campestre
Smyrnium perfoliatum
Torilis arrensis
Torilis nodosa
URTICACEAE
Urtica dioica
Urtica urens
VERBENACEAE
Verbena officinalis
Vitex agnus-castus
VIOLACEAE
Viola arvensis
Viola canina
Viola odorata
Viola tricolor
VITACEAE
Vitis sylvestris
ZANNINHELLIACEAE
Zanninhellia palustris
ZYGOPHYLLACEAE
Tribulus terrestris

Κατάλογος των ψαριών που συναντώνται στο σύστημα Στρυμόνα / Κερκίνης.
List of fish species recorded in the Strymon / Kerkini system.

Abramis brama
Alburnoides bipunctatus strymonicus
Alburnus alburnus strumicae
Anguilla anguilla
Aphanius fasciatus
Aspius aspius
Barbus cyclolepis strumicae
Blenius fluviatilis
Carassius auratus gibelio
Chondrostoma vardarensis
Cyprinus carpio
Cobitis strumicae
Esox lucius
Gambusia affinis halbooki
Gobio gobio bulgaricus
Knipowitschia caucasica
Leucaspius delineatus
Leuciscus borysthenicus
Leuciscus cephalus macedonicus
Lepomis gibbosa
Orhtrias brandti bureschi
Perca fluviatilis
Rhodeus sericeus amarus
Rutilus rutilus
Salmo gairdneri
Salmo truta macrostigma
Scardinius erythropthalmus
Silurus glanis
Stizostedion lucioperca
Tinca tinca
Vimba melanops

Κατάλογος των ερπετών και αμφιβίων που έχουν καταγραφεί στην ευρύτερη περιοχή της Κερκίνης.
List of reptiles and amphibians recorded in the broader Kerkini area.

Salamandra salamandra
Triturus cristatus
Triturus vulgaris
Bufo bufo
Bufo viridis
Bombina variegata
Hyla arborea
Pelobates syriacus
Rana dalmatina
Rana graeca
Rana ridibunda
Emys orbicularis
Mauremys caspica
Testudo hermanni
Testudo graeca
Cyrtodactylus kotschyi
Hemidactylus turcicus
Anguis fragilis
Ophisaurus apodus
Ablepharus kitaibelii
Lacerta trilineata
Lecerta viridis
Ophisops elegans
Podarcis erhardii
Podarcis taurica
Eryx jaculus
Coluber caspius
Coluber najadum
Coronella austriaca
Elaphe longissima
Elaphe quatuorlineata
Elaphe situla
Malpolon monspessulanus
Natrix natrix
Natrix tessellata
Vipera ammodytes

Κατάλογος των θηλαστικών που έχουν καταγραφεί στην ευρύτερη περιοχή της Κερκίνης.
List of mammals recorded in the broader Kerkini area.

Erinaceus concolor
Lepus europaeus
Sciurus vulgaris
Glis glis
Spalax sp.
Microtus arvallis
Rattus rattus
Canis lupus
Canis aureus
Vulpes vulpes
Mustela nivalis
Martes foina
Meles meles
Lutra lutra
Felis silvestris
Sus scrofa
Capreolus capreolus

Κατάλογος των πουλιών που συναντώνται στην ευρύτερη περιοχή της Κερκίνης.
List of birds recorded in the broader Kerkini area.

Gavia stellata
Tachybaptus ruficollis
Podiceps cristatus
Podiceps grisegena
Podiceps nigricollis
Phalacrocorax carbo
Phalacrocorax pygmeus
Pelecanus onocrotalus
Pelecanus crispus
Botaurus stellaris
Ixobrychus minutus
Nycticorax nycticorax
Ardeola ralloides
Bubulcus ibis
Egretta garzetta
Egretta alba
Ardea cinerea
Ardea purpurea
Ciconia ciconia
Ciconia nigra
Plegadis falcinellus
Platalea leucorodia
Phoenicopterus ruber
Cygnus olor
Cygnus columbianus
Cygnus cygnus
Anser fabalis
Anser albifrons

Anser erythropus
Anser anser
Tadorna ferruginea
Tadorna tadorna
Anas penelope
Anas strepera
Anas crecca
Anas platyrhynchos
Anas acuta
Anas querquedula
Anas clypeata
Netta rufina
Aythya ferrina
Aythya nyroca
Ayhtya fuligula
Bucephala clangula
Mergus albellus
Mergus serrator
Mergus merganser
Oxyura leucocephala
Pernis apivorus
Milvus migrans
Milvus milvus
Haliaeetus albicilla
Neophron percnopterus
Circaetus gallicus
Circus aeruginosus
Circus cyaneus
Circus macrourus
Circus pygargus
Accipiter gentilis
Accipiter nisus
Accipiter brevipes
Buteo buteo
Aquila pomarina
Aquila clanga
Aquila heliaca
Aquila chrysaetos
Hieraaetus pennatus
Hieraaetus fasciatus
Pandion haliaetus
Falco naumanni
Falco tinnunculus
Falco vespertinus
Falco columbarius
Falco subbuteo
Falco eleonorae
Falco biarmicus
Falco peregrinus
Perdix perdix
Coturnix coturnix
Rallus aquaticus
Porzana porzana
Gallinula chloropus
Fulica atra
Grus grus
Haematopus ostralegus
Himantopus himantopus
Recurvirostra avosetta
Burhinus oedicnemus
Glareola pratincola
Charadrius dubius
Charadrius hiaticula
Charadrius alexandrinus
Charadrius morinellus
Pluvialis apricaria
Pluvialis squatarola
Vanellus vanellus
Calidris canutus
Calidris minuta
Calidris temminkii
Calidris ferruginea
Calidris alpina
Limicola falcinellus
Philomachus pugnax
Lymnocryptes minimus
Gallinago gallinago
Gallinago media
Scolopax rusticola
Limosa limosa
Limosa lapponica
Numenius phaeopus
Numenius arquata
Tringa erythropus
Tringa totanus
Tringa stagnatilis
Tringa nebularia
Tringa ochropus
Tringa glareola
Actitis hypoleucos
Larus melanocephalus
Larus minutus
Larus ridibundus
Larus genei
Larus canus
Larus fuscus
Larus cacchinans
Gelochelidon nilotica
Sterna caspia
Sterna hirundo
Sterna albifrons
Chlidonias hybridus
Chlidonias niger
Chlidonias leucopterus
Columba livia
Columba oenas
Columba palumbus
Streptopelia decaocto
Streptopelia turtur
Clamator glandarius
Cuculus canorus
Tyto alba
Otus scops
Bubo bubo
Athene noctua
Strix aluco
Asio otus
Asio flammeus
Caprimulgus europaeus
Apus apus
Apus melba
Alcedo atthis
Merops apiaster
Coracias garrulus
Upupa epops
Jynx torquilla
Picus canus
Picus viridis
Dendrocopos major
Dendrocopos medius
Dendrocopos syriacus
Dendrocopos leucotos
Dendrocopos minor
Melanocorypha calandra
Calandrella brachydactyla
Galerida cristata
Lullula arborea
Alauda arvensis
Riparia riparia
Ptyonoprogne rupestris
Hirundo rustica
Hirundo daurica
Delichon urbica
Anthus campestris
Anthus trivialis
Anthus pratensis
Anthus spinoletta
Motacilla flava
Motacilla cinerea
Motacilla alba
Cinclus cinclus
Troglodytes troglodytes
Prunella modularis
Cercotrichas galactotes
Erithacus rubecula
Luscinia luscinia
Luscinia megarynchos
Luscinia svecica
Phoenicurus ochruros
Phoenicurus phoenicurus
Saxicola rubetra
Saxicola torquata
Oenanthe oenanthe
Oenanthe hispanica
Monticola saxatilis
Monticola solitarius
Turdus torquatus
Turdus merula
Turdus pilaris
Turdus philomelos
Turdus iliacus
Turdus viscivorus
Cettia cetti
Locustella naevia
Locustella fluviatilis
Locustella luscinioides
Acrocephalus melanopogon
Acrocephalus schoenobaenus
Acrocephalus palustris
Acrocephalus scirpaceus
Acrocephalus arundinaceus
Hippolais pallida
Hippolais olivetorum
Hippolais icterina
Sylvia cantillans
Sylvia melanocephala
Sylvia hortnesis
Sylvia curruca
Sylvia communis
Sylvia atricapilla
Phylloscopus bonelli
Phylloscopus sibilatrix
Phylloscopus collybita
Phylloscopus trochilus
Regulis regulus
Regulus ignicapillus
Muscicapa striata
Ficedula parva
Ficedula albicollis
Ficedula hypoleuca
Panurus biarmicus
Aegithalus caudatus
Parus lugubris
Parus caeruleus
Parus major
Sitta europaea
Certhia familiaris
Certhia brachydactyla
Remiz pendulinus
Oriolus oriolus
Lanius collurio
Lanius minor
Lanius excubitor
Lanius senator
Lanius nubicus
Garrulus glandarius
Pica pica
Corvus monedula
Corvus frugilegus
Corvus corone
Corvus corax
Sturnus vulgaris
Sturnus roseus
Passer domesticus
Passer hispaniolensis
Passer montanus
Fringilla montifringilla
Serinus serinus
Carduelis chloris
Carduelis carduelis
Carduelis cannabina
Loxia curvirostra
Pyrrhula pyrrhula
Coccothraustes coccothraustes
Emberiza citrinella
Emberiza cirlus
Emberiza cia
Emberiza hortulana
Emberiza schoeniclus
Emberiza melanocephala
Miliaria calandra